Notre distributeur :
Messageries de presse Benjamin
101, rue Henry-Bessemer,
Bois-des-Filion (Québec)
J6Z 4S9

Tél. : 450 621-8167

Savannah

Ne pars pas

LES ÉDITIONS LA SEMAINE
2050, rue de Bleury, bureau 500
Montréal (Québec) H3A 2J5

Directrice des éditions : Annie Tonneau
Directrice artistique : Lyne Préfontaine
Coordonnateur aux éditions : Jean-François Gosselin

Directeur des opérations : Réal Paiement
Superviseure de la production : Lisette Brodeur
Assistante-contremaître : Joanie Pellerin
Infographiste : Marylène Gingras
Scanneriste : Éric Lépine

Photo de l'auteure : Stéphanie Lefebvre
Maquilleuse-coiffeuse : Mélanie Bélisle, Gloss Artistes inc.
Illustration de la page couverture : Géraldine Charette
Photos intérieures : archives personnelles et Shutterstock
Réviseures-correctrices : Monique Lepage, Marie-Hélène Cardinal,
Nathalie Ferraris

Les propos contenus dans ce livre ne reflètent pas forcément
l'opinion de la maison d'édition.

Gouvernement du Québec (Québec) – Programme de crédit
d'impôt pour l'édition de livres – Gestion SODEC.

L'Éditeur bénéficie du soutien de la Société de développement des
entreprises culturelles du Québec pour son programme d'édition.

© Charron Éditeur inc.
Dépôt légal : deuxième trimestre 2012
Bibliothèque et Archives nationales du Québec
Bibliothèque et Archives Canada
ISBN : 978-2-89703-058-2

Savannah

Ne pars pas

ÉDITIONS
LA SEMAINE

Chapitre 1

Identification visuelle :   *Soir de pleine lune*
Identification auditive :   *Chant étrange !*

Non, cette fois, ce n'est pas la faute de quelqu'un d'autre, c'est entièrement et uniquement de la mienne si on se retrouve dans la forêt, au beau milieu de la nuit, un soir de pleine lune ! Compte tenu de ce que je vois, c'était vraiment pas une bonne idée de suivre l'étrange femme de la boutique ésotérique. Erreur !

Au moins, je peux envoyer un message et je suis certaine que quelqu'un va le recevoir, puisque j'ai une connexion avec mon cellulaire. Joie !

Mais faire une phrase simple et claire demande un peu de concentration et, à cause du stress, mes doigts ne suivent pas tout à fait les commandes de mon cerveau.

« Alex et moi sommes dans la forêt derrière la grange... » Non, ce n'est pas assez précis.

«Sommes dans la forêt à dix minutes de la voiture. Cachés derrière un buisson. Si on ne revient pas, allez voir la propriétaire de…»

Mais il sert trop à rien ce message!

Si des gens arrivent, on va se faire repérer et le temps que quelqu'un vienne, de toute façon, la cérémonie sera terminée.

La seule chose qu'il faut faire, c'est rester là et attendre qu'ils aient fini leur séance de je ne sais pas trop quoi.

Nous sommes à Salem, pas très loin de Boston où j'étudie l'anglais dans un cours d'immersion. Nous voulions en connaître plus sur l'histoire des fameuses sorcières. Si celles qui ont été accusées en 1692 n'étaient sans doute pas coupables, la ville est aujourd'hui envahie de gens pratiquant la Wicca, une religion dont les bases remontent à la nuit des temps.

Au début, on ne pensait pas arriver au cœur d'un mystérieux rite religieux, on voulait seulement savoir ce que la femme étrange faisait avec sa grosse valise. On l'a suivie jusqu'ici discrètement. Quand on a commencé à s'enfoncer dans la forêt, j'aurais voulu retourner à la voiture, mais Alexandre insistait pour qu'on continue.

On s'est arrêtés près d'une clairière où il y avait déjà une dizaine de personnes qui attendaient. Elles se sont saluées, embrassées et elles ont installé des objets autour d'un cercle qu'elles ont formé avec de la poudre blanche, peut-être du sel ou de la farine, selon

Alex. Une fois installées, elles se sont déshabillées… complètement! O.O

Hommes, femmes… tous, totalement nus dans la nature. Ils se sont mis à chanter quelque chose dans une langue que je ne comprenais pas et là, j'ai commencé à réaliser qu'on était peut-être en danger. Que font ces gens? Ils vont faire quoi après? Une sorte d'orgie? Je ne veux trop pas voir ça. :s

Alex et moi sommes bien aplatis derrière notre mur végétal et on ne bouge pas, c'est juste si on respire. L'idée, c'est de ne pas nous faire repérer. Je sais pas combien de temps leur cérémonie va durer, mais je n'ai pas l'intention de battre d'un cil d'ici la fin. Après, je promets de ne plus jamais être trop curieuse de ma vie.

C'est quoi ce bruit? C'est pas vrai… D'où ça vient?... Ils ont arrêté de chanter!!! Alexandre me regarde avec des yeux paniqués, il me montre son cellulaire et l'éteint… Son téléphone a joué la *Marche nuptiale* en pleine nuit, dans une forêt, et les fêlés du tacos commencent à marcher vers nous! Ils savent que nous sommes là… On fait quoi?

Alex s'est levé d'un bond et me crie de courir. Je me lance à toutes jambes vers la voiture.

Heureusement que la pleine lune éclaire notre chemin. Nous sommes suivis par une horde de sorciers en furie qui veulent nous attraper. Comme ils sont nu-pieds, nous arrivons à prendre un peu d'avance, mais pour combien de temps?

Ils nous crient des insultes et j'ai vraiment peur, mais c'est pas le moment que mes genoux me lâchent.

Au secours!!!

Cinq jours plus tôt

Chapitre 2

Ma mère n'avait pas changé d'idée, elle tenait absolument à ce que j'aille à Boston. À un autre moment de ma vie, j'aurais peut-être trouvé ça super génial, mais là, il n'en était juste pas question! Alexandre était en visite à Montréal pour trois semaines, j'allais certainement pas en passer deux aux États-Unis! Il disait qu'il viendrait me voir les fins de semaine, mais ce que je voulais, moi, c'était passer tout mon temps avec lui.

D'abord, mon frère Loup a tenté de parler à ma mère. Elle n'a rien voulu entendre. Ensuite, Philippe, son nouveau *chum*, a essayé de la convaincre de retarder mon départ. Elle a dit que c'était le seul moment où il y avait de la place. *Dad* a refusé de s'en mêler et m'a demandé de régler ce problème directement avec elle.

Je n'avais plus aucune ressource. J'ai même pensé à fuguer, mais bon, franchement, pour aller où? Me retrouver dans les rues à errer en me demandant ce que j'allais manger? Ce n'était tellement pas pour moi. Je devais résoudre ce problème seule et, pour ça, il fallait que j'affronte ma mère!

Je lui ai dit que je voulais lui parler et je l'ai invitée à s'asseoir. Avec elle, il vaut mieux ne pas attaquer de front, mais plutôt y aller en douceur. Je lui ai expliqué que je voulais tout simplement discuter tranquillement. J'ai fait bien attention de garder un ton neutre, de ne pas montrer d'agressivité, ce qui aurait fermé les portes tout de suite à toute discussion. Une fois ma mère assise, je lui ai présenté mes arguments, posément.

— Maman, je sais que tu fais ça pour mon bien et je comprends que j'aurais besoin d'un cours d'anglais. Mais tu vois, Alex n'est ici que pour trois semaines. Il a fait un long voyage pour me voir et ce serait très impoli de partir maintenant.

— Savannah, si Alexandre voulait te voir, il aurait pu t'en parler avant, on n'arrive pas à l'improviste chez les gens en s'attendant à ce qu'ils soient disponibles.

Bon, je dois me montrer positive et surtout ne pas lui donner l'impression que je suis une ennemie méga rebelle.

— Tu as raison. C'est vrai qu'il aurait dû m'en parler avant.

(C'est pas vrai, j'ai trop aimé la surprise qu'il m'a faite. Arriver sans prévenir à mon après-bal, c'était de loin ce que j'avais vécu de plus romantique dans ma vie… Mais ne nous obstinons pas. L'enjeu est trop grand.)

J'ai vu, à son air, que je venais de marquer un point en disant comme elle.

— Mais je voudrais passer du temps avec lui. Maman, tu sais ce que c'est, l'amour, tu devrais me comprendre.

— Oh, ça oui, je sais ce que c'est… J'ai assez fait n'importe quoi par amour. J'aimerais justement que tu n'oublies pas tes priorités.

— Je comprends, mais c'est quelqu'un d'important pour moi. On pourrait trouver un cours qui a de la place un peu plus tard cet été ?

— J'ai fait le tour des établissements, tout est réservé. Et Boston offre vraiment beaucoup… (*Elle a sorti le programme.*) Cours cinq matins par semaine. Visites les après-midi, sauf le mercredi. Regarde les musées que tu vas visiter et comme la ville est belle… Les week-ends sont libres en plus. Deux sorties spectacles sont au programme. Je ne t'envoie pas dans un camp de misère, c'est superbe, ce collège, et les activités sont intéressantes. Ils ont même prévu deux après-midi de magasinage.

— Tu as raison (*faut jouer cette tactique à fond*)… C'est vrai, c'est génial comme endroit… maiiis pas tout de suite.

Ma mère m'a regardée et a hésité quelques secondes. J'avais marqué un point? Elle allait céder? Ne pas montrer mon enthousiasme.

— D'accord, Savannah, voilà ce qu'on va faire. Tu vas prendre la décision pour toi. Dis-moi, quand vas-tu avoir l'occasion de suivre un cours d'anglais dans un lieu aussi magnifique? Comment penses-tu régler ce problème? Tu sais que c'est important de parler une autre langue. À l'université, ça va t'être très utile, peu importe le cours que tu suivras. Alors?

— Je ne comprends pas.

— Choisis… Fais ce choix pour toi. D'un côté, tu peux laisser passer cette chance unique et avoir du bon temps avec ton copain… Ou tu demandes à Alexandre un peu de patience et de comprendre que c'est pour ton bien… Tu es assez vieille pour décider, maintenant.

Tout à coup, tout était de travers dans ma tête. Pourquoi elle me demandait de décider? Je voulais rester avec Alex mais, en même temps, j'avais l'impression de rater quelque chose de vraiment important. Elle m'avait ensorcelée ou quoi?

— Mais… je sais pas.

— Si tu ne sais pas, c'est que tu as encore besoin que tes parents décident pour toi. Tu dis que tu peux faire tes propres choix, vas-y.

— J'aimerais rester avec Alexandre.

— Très bien, dis-moi ce que ça va t'apporter, à part du bon temps ?

— Eh bien… Si je pars, il va peut-être rencontrer une autre fille et…

— Ah… Tu crois que son amour est si léger qu'il suffirait d'un coup de vent pour le faire s'envoler ? Est-ce que ça mérite vraiment que tu gâches une belle occasion pour une histoire qui n'a pas plus de valeur ?

— Il m'aime vraiment… Tu n'as pas le droit d'en douter.

— Donc, c'est un amour solide, pas du tout fragile ? Alors, il va résister à quelques jours d'absence ?

— Bien sûr.

— Je vois.

— C'est que… cet automne, il va peut-être retourner à Paris et je le verrai plus pendant des mois.

— Je comprends très bien, Savannah. Mais tu ne dois pas ajuster ta vie à la sienne, mais plutôt adapter ton amour à ta vie à toi. Comprends-tu ?

— Je ne sais pas… Tu m'as juste tellement mélangée.

— Je te dis simplement… Qu'est-ce qui est le mieux pour toi ? Pas le plus l'*fun* ou le plus *cool*… le mieux, pour ta vie.

Je réfléchissais, je ne sais pas pourquoi, mais, tout à coup, tout avait changé. Je pourrais bien y aller, à Boston, et Alex a dit qu'il viendrait me rendre visite. Si je restais ici, je devrais travailler de toute façon, donc je ne pourrais pas le voir tous les jours.

— Alors, dis-moi, qu'est-ce qui est le mieux pour toi? Passer du bon temps avec Alex ou suivre un cours d'anglais qui va te servir toute ta vie?

— Vu comme ça...

— Comment voudrais-tu le voir autrement?

— Je vais y réfléchir.

C'est à ce moment-là qu'un bip a signalé l'arrivée d'un message texte dans mon cell... bip... J'ai regardé et j'ai lu... «Génial, je vais à Boston avec toi, Anaïs.»

— Maman, tu as parlé du cours d'anglais à la mère d'Anaïs?

— À Chloé? Possible, je ne m'en souviens pas... Mais peut-être, pourquoi?

— Anaïs s'est inscrite elle aussi.

— Bonne idée, ça va lui faire du bien.

Je n'arrivais pas à voir sur son visage si elle avait tout manigancé, ou si c'était vraiment un hasard. Comment laisser tomber Anaïs, maintenant qu'elle devait aller à Boston à cause de moi?

— Bon, d'accord, je vais y aller. Je vais aller à Boston et j'espère que ce cours va être efficace.

— Ma chérie, c'est toi qui vas faire la différence. Plus tu voudras apprendre et prêter attention à ce qu'on t'enseigne, plus ça va donner de bons résultats.

— Je vais prévenir Alexandre.

Je me suis levée et j'ai répondu à Anaïs: «Super!:)))))» J'avais le sentiment qu'à ce jeu, ma mère avait trop été la plus forte. En me forçant à prendre la responsabilité de la décision, elle m'avait fait douter de tout. C'est vrai qu'il ne s'agissait que de deux toutes petites semaines. Que j'allais voir Alex quand même et que, de toute façon, il m'avait avertie qu'il devait passer du temps dans sa famille et surtout avec sa petite sœur. Il la voyait rarement parce qu'elle vit avec ses grands-parents, à cause des soins médicaux qu'elle reçoit.

Bon, j'allais faire mes valises. Au moins, Anaïs serait avec moi. Ma *best*, ça allait être amusant. Si mon anglais laissait à désirer, le sien était une supra catastrophe.

Justement, au même moment, mon amie Charlotte m'appelait sur mon téléphone. C'était sûrement pour savoir si j'avais réussi à convaincre ma mère.

— Allô… Nonnnnn, j'ai pas réussi à la faire changer d'idée.

— Excellent, j'ai convaincu mon père de me laisser y aller avec toi. J'ai parlé à Anaïs qui m'a annoncé la grande nouvelle. Ça va être tellement trop *cool* d'être toutes les trois.

— Attends, je ne comprends pas.

— Je vais à Boston avec vous.

— Mais Charlotte, tu es bilingue.

— Eh bien, ils trouveront bien quelque chose à m'apprendre. Sinon, je ferai semblant…

Elle a éclaté de rire.

— Tu es folle ?

— Complètement ! J'ai trop hâte d'être là-bas… Je vais faire mes valises, on part après-demain… Youhhouuuuu… *Byeeeeee.*

Elle était survoltée, emballée. Finalement, ce voyage serait peut-être pas mal plus agréable que je pensais.

Puisque je ne pouvais plus rien contre, aussi bien en profiter à fond. *Gooooo* les valises !!!

Chapitre 3

Le café Frimousse, où je travaille, c'est mon petit monde à moi. C'est pas très grand, mais dès que le printemps arrive, on ouvre une terrasse très jolie qui donne sur le parc à côté et c'est un endroit très populaire auprès des jeunes du quartier.

Presque toutes les places étaient déjà occupées à mon arrivée. Milan semblait un peu débordé, c'est vrai que l'école venait de finir et que les clients traînaient plus longtemps pour discuter de tout et de rien. C'était une journée parfaite. Le soleil inondait tout, mais il ne faisait pas encore trop chaud.

J'ai regardé Milan travailler pendant quelques minutes. La situation avait tellement changé en très peu de temps. Il y a quelques semaines, il était l'homme de ma vie… Et puis, je me suis retrouvée en vacances en France, paniquée à l'idée de le laisser seul avec Lydia… Mais finalement, je suis tombée amoureuse d'Alexandre. Il faut dire que notre séjour dans une grotte, perdus dans une tempête d'enfer, nous a vraiment rapprochés.

Comment peut-on passer d'un amour aussi puissant à une amitié toute simple? Il y a six mois, j'aurais juré que je ne pourrais jamais aimer quelqu'un d'autre de toute ma vie… mais je me trompais.

Tout était en place, j'avais expliqué à Milan les paies, les commandes, ce qu'il devait faire pour survivre deux semaines. Lydia avait accepté de me remplacer pendant mon absence.

Tout était sous contrôle.

J'ai attrapé ma valise et, voilà, j'étais assise dans l'autobus avec mes deux amies, à regarder avec émotion Alexandre m'envoyer la main au milieu d'inconnus. J'avais le nez collé à la vitre. Plus on avançait, plus Alex était petit et mon cœur se serrait comme si on jetait du citron dessus.

Charlotte m'a tapé sur l'épaule.

— Savannah, tu peux quitter la fenêtre, il est trop loin pour te voir.

J'ai repris le dessus sur mes émotions avant de me retourner. Je ne voulais pas que mes amies soient tristes pour moi. J'ai affiché un grand sourire et je leur ai lancé: «Bon voyage, les filles!»

L'allée centrale nous séparait. D'un bord, Charlotte et moi, et de l'autre, Anaïs à côté d'un inconnu très discret. Les filles parlaient de la soirée de la veille. C'est vrai qu'elle était mémorable. On s'était réunies dans la chambre géante de Charlotte, avec Coralie et Éva. On avait dansé, chanté à tue-tête sur le karaoké, une vraie soirée de filles.

Je ne les écoutais pas vraiment, car je me repassais les images de l'après-midi de rêve qu'Alexandre avait organisé.

Il m'avait préparé une journée tellement romantique. Il avait apporté un pique-nique et on s'était installés au bord de la rivière des Prairies, dans le parc qui longe l'eau. On s'était mis à l'ombre d'un saule et on avait mangé, ri et fait le plein de tendresse pour au moins une semaine... et il m'avait dit qu'il m'aimait et, quand je repensais à ce moment, j'avais des bulles de bonheur dans le ventre.

Je devais avoir un gros sourire étampé dans la face parce qu'Anaïs a dit: «Tu viens avec nous à Boston, ou tu vas rester dans les vapes tout le long?»

—Dans les quoi?

—Les vapeurs de l'amûûûrrr, a répondu Charlotte en étirant la dernière syllabe.

Les deux filles riaient de bon cœur et, moi, je tentais de me mettre au diapason. Elles avaient raison, je ne pouvais pas passer mon temps à rêver que j'étais ailleurs.

Je voulais profiter de ce voyage et, pour ça, je ne devais pas laisser mon esprit errer dans les souvenirs. Bon, concentration... D'ailleurs, où sommes-nous rendues?

— On arrive à la frontière.

L'autobus s'était arrêté et un douanier américain était monté à bord pour vérifier les passeports. J'ai remarqué que le voisin d'Anaïs semblait très nerveux. Est-ce que mon imagination partait encore en orbite? Il avait une petite goutte de sueur sur le front et il se frottait les mains, comme s'il était vraiment très tendu. J'ai fait un signe aux filles pour qu'elles l'observent.

Quand le douanier est arrivé à notre niveau, le jeune homme était rouge et il avait vraiment l'air trop étrange.

Charlotte a donné nos passeports et a expliqué, dans un anglais parfait, ce que nous allions faire à Boston. Ensuite, Anaïs a donné ses papiers et, quand ce fut le tour de son voisin, le douanier a tout de suite eu l'air de se méfier. Il a passé un temps fou à regarder le document, il l'a tourné et retourné. Il lui a demandé ce qu'il allait faire à Boston. Le jeune homme ne semblait pas bien comprendre. Le douanier l'a invité à le suivre.

Au bout de quinze minutes, le chauffeur nous a expliqué qu'on attendait un traducteur, avant d'avoir l'autorisation de repartir.

Charlotte s'est levée, elle a dit qu'elle allait aux toilettes. Je l'ai suivie du regard et j'ai vu qu'elle entrait plutôt dans l'édifice de la douane. Je n'aimais pas ça, qu'allait-elle faire là?

Je suis descendue pour la rejoindre et je l'ai trouvée, tout sourire, dans le bureau. Charlotte servait de traductrice. Après trois minutes, elle est ressortie accompagnée de notre compagnon de voyage, soulagé de pouvoir remonter dans l'autobus.

— Charlotte, qu'est-ce que tu fais ?

— J'ai offert mes services pour traduire. Tu voulais attendre encore une heure ?

— Mais tu ne le connais même pas.

— Ses papiers sont en règle, c'est la première fois qu'il va en visite chez des amis aux États-Unis et il ne parle pas anglais. Ne t'en fais pas, j'ai pas servi à grand-chose, ils avaient déjà contacté un interprète.

On est remontés dans l'autobus. Les gens étaient heureux de voir revenir tout le monde. Le douanier a donné le OK à notre chauffeur et nous sommes repartis.

Nous avions un nouvel ami reconnaissant. Charlotte a même changé de place avec Anaïs pour être assise près de lui.

Nous repartions vers Boston et j'avoue que j'étais vraiment trop impressionnée par Charlotte qui parle trois langues et n'avait pas hésité à proposer son aide, même si la douane est un endroit très sérieux et qu'ils auraient attendu un traducteur de toute façon ; au moins, elle essayait toujours d'aider.

Cependant, quelque chose me chicotait. Si tout était en règle, pourquoi le jeune homme était-il si nerveux avant de passer la douane? Les signes de stress étaient évidents. J'avoue que je n'étais pas en paix avec la situation.

Pour remercier Charlotte, le jeune Mexicain, qui nous a dit s'appeler Ramon, a sorti de son sac une pierre violette, elle était sur une chaîne, et il lui a expliqué que c'était une améthyste. Charlotte ne voulait pas accepter ce cadeau, mais son voisin a insisté. Ensuite, il a cherché pendant de longues minutes avant de me tendre un collier garni d'une pierre bleue, vraiment très jolie. Charlotte a traduit que c'était une pierre de lune et que j'allais en avoir besoin.

— Merci, mais pourquoi j'en aurais besoin?

Elle a haussé les épaules comme seule réponse. Elle me regardait en riant en douce. Finalement, Ramon a offert à Anaïs un bijou avec une minuscule petite boule dorée. Il a dit que c'était de l'ambre.

On regardait nos bijoux, un peu étonnées de recevoir des cadeaux pour notre aide, alors qu'Anaïs et moi n'avions rien fait.

Ramon s'est mis à parler espagnol très vite, tout en regardant autour de lui pour être certain qu'on ne nous écoutait pas. Il a expliqué son histoire à Charlotte qui tentait de traduire au fur et à mesure.

— Il dit qu'il avait peur que les douaniers lui prennent ses pierres. Elles ont beaucoup de valeur.

— Comment ça? j'ai demandé, inquiète. Je ne veux pas d'un cadeau d'une grande valeur, c'est trop.

— Il explique qu'elles sont chargées, les pierres… Enfin, c'est ce que je comprends.

— Chargées de quoi?

Charlotte a posé des questions et semblait avoir enfin tout compris.

— Elles ont été chargées de magie par un très grand sorcier de sa famille. Il les apporte à des amis à Boston. Elles sont très puissantes et il avait peur de les perdre, parce que c'est difficile de se procurer une magie aussi pure.

— Il est définitivement crac boum du cerveau, a lancé Anaïs.

— Mais non, il a seulement ses croyances à lui, c'est tout.

Charlotte continuait d'interroger son voisin pendant quelques minutes et elle nous a résumé leur conversation.

— Anaïs, c'est pour ton humeur… La pierre va t'aider quand tu seras triste.

— Pourquoi je serais triste? Je ne suis jamais triste.

—Je ne sais pas, c'est Ramon qui dit ça. Obstine-toi pas, d'accord, ça va être plus simple.

—Et la mienne? Elle est pour quoi exactement. Tu peux avoir des détails?

—Il dit que tu vas avoir besoin de protection et que ça va aussi t'aider pour tes rêves.

—De protection? Il a l'air de savoir des choses qu'on ne sait pas.

—Il dit: « *Que sera sera...* » Ce qui doit arriver arrivera. Il est assez mystérieux, vous savez, et j'ose pas trop insister.

—Et toi, il t'a expliqué à quoi elle va te servir? a questionné Anaïs, un peu frustrée de ne pas avoir de réponse.

—Il semble que je vais devoir tenir des ondes à distance, de la mauvaise magie… Ne m'en demandez pas plus. Il ne veut pas préciser. Le reste, on dirait que ce sont des secrets.

J'observais Ramon qui nous faisait des signes pour qu'on enfile ses cadeaux. Je me suis décidée à mettre le collier. Après tout, pourquoi pas? Il était joli et si ça faisait plaisir à notre compagnon de voyage… Il a souri et m'a fait un geste pour dire qu'il était satisfait que je le porte. Il a insisté pour que les autres en fassent autant.

Après quelques minutes, je me suis concentrée sur ma lecture. Alexandre m'avait donné un livre pour le voyage. En l'ouvrant, j'ai éclaté de rire. Il m'avait trouvé un livre sur les Templiers et comment ils étaient peut-être devenus des francs-maçons.

Allons-y, j'allais lire ce livre et je n'espérais qu'une chose: qu'Alex ne m'embarque pas encore dans une histoire de secret ou de trésor caché.

Pourtant, je le savais qu'il ne me donnait pas ce livre pour rien. Il avait trop une idée derrière la tête et j'aurais tellement dû le savoir.

Chapitre 4

Nous sommes arrivées au collège en fin de journée le dimanche, et on n'en croyait pas nos yeux. Les lieux étaient tout simplement magnifiques. Une rivière longeait le terrain de l'établissement et des rameurs, sur de longues embarcations, défilaient tranquillement devant nous. Il y avait un club d'aviron qui était situé à deux pas. Avec le soleil couchant en toile de fond, c'était presque le paradis.

Il y avait des fleurs et des vignes qui grimpaient partout et on aurait dit une sorte d'endroit magique. Le style de collège qu'on retrouve dans les films fantastiques, enchanté et accueillant à la fois. L'édifice était très ancien, mais en parfait état. On entrait par une méga grande porte et, devant nous, trônait un escalier majestueux en bois avec une rampe en fer forgé, superbe. Il y avait aussi des statues et des frises en pierre ; juste pour voir tous les détails du hall d'entrée, il nous aurait fallu une heure.

Toutes les trois, on se regardait avec les yeux sortis de la tête. C'était trop beau.

Une fois à la cafétéria, ils ont expliqué au petit groupe que nous étions – quatre autres personnes s'étaient jointes à nous à l'entrée – comment allait fonctionner notre séjour. Nous avons reçu l'horaire et le plan pour nous rendre à nos chambres. Heureusement, parce qu'on aurait pu se perdre bien comme il faut. On longeait des corridors sans fin et on montait des escaliers tous plus incroyables les uns que les autres. Et puis, un couloir plus simple, peint en blanc, avec quelques portes grises qui portaient des numéros.

On a vite repéré la chambre 29; c'était la nôtre. On n'avait aucune idée de ce qui nous attendait et, en ouvrant la porte, on s'est mises à hurler de bonheur. Nous étions seules toutes les trois dans la chambre. Déjà, c'était une joie… mais en plus, la pièce était vraiment trop *cool*. Les lits simples étaient installés contre les trois murs. Une grande fenêtre donnait sur le spectacle incroyable de la rivière et des parcs autour.

J'ai laissé mes deux amies choisir leur lit en premier. Anaïs a pris celui sous la fenêtre, Charlotte à gauche et moi, celui de droite. On avait chacune un meuble en bois qui faisait bureau et commode à la fois et une petite chaise stylisée.

J'ai retiré l'oreiller de mon lit pour y mettre le mien, je l'avais apporté de la maison, d'abord pour mon confort et aussi pour marquer mon territoire. Je ne regrettais pas ma décision, j'avais la conviction que ce voyage resterait dans nos souvenirs toute notre vie.

On a voulu visiter et on a été un peu déçues par la salle de bains. En fait, j'ai capoté complètement: les douches étaient alignées sur le mur du fond, mais elles n'avaient ni porte ni rideaux. Ô-o

Catastrophe!!!

Je suis une fille pudique et je n'aime pas faire ma toilette devant les autres. J'allais non seulement devoir me brosser les dents devant mes amies, mais prendre ma douche aussi? Je n'aurais d'autre choix que de leur parler de mon problème si je voulais qu'elles m'aident à trouver une solution. Parce que là... pour l'instant... c'est: vite le bouton paniqueeeeee!

Ce soir-là, j'ai allumé la petite lampe au-dessus de mon lit pour mieux observer le bijou que Ramon m'avait offert. La pierre bleue, légèrement laiteuse, était au centre d'une pièce d'argent. C'était une sorte d'étoile à cinq branches, un peu comme une étoile de mer.

Il me semblait que j'avais déjà vu ce symbole quelque part. Un truc médiéval ou ancien, je n'étais pas certaine. Je savais que c'était un pentacle parce que je suis déjà sortie avec un gothique qui se prenait pour un vampire. OK, je ne tiens pas trop à en parler, c'est une partie de ma vie que je tente d'oublier un peu. :D Bon, en tout cas, il avait des pentacles partout dans ses affaires.

Je me suis dit que j'irais voir à la bibliothèque pour savoir ce que ça représentait exactement, parce que, croyez-le ou non, il n'y avait pas de signal sur mon cellulaire, du moins pas dans la chambre. Heureusement, sur le plan, on voyait les zones couvertes par le Wi-Fi et la bibliothèque en faisait partie.

Les filles sont arrivées après avoir fait leur toilette et j'ai pu y aller à mon tour. Pour l'instant, la seule solution que j'avais trouvée, c'était de me précipiter quand il n'y avait personne. C'est-à-dire avant ou après les heures habituelles. J'ai pensé mettre un maillot de bain, mais bon, j'avais pas trop envie de faire rire de moi.

Je sentais bien que ma vie serait un peu compliquée pour les prochains jours.

Lundi

Chapitre 5

Identification visuelle :   **Chambre ensoleillée**

Identification auditive :   **Deux filles dorment**

Premier jour à Boston. La lumière entrait joyeusement par la fenêtre. Il faut dire qu'on avait oublié de descendre le store. Ce matin-là, nous devions passer différents tests pour évaluer notre maîtrise de l'anglais et ce qu'il fallait travailler, l'écrit ou l'oral.

Vite, je me suis levée pour être la première sous la douche. J'avais mis le réveil une heure plus tôt pour être certaine de ne croiser personne. Je suis partie vers la salle de bains, sans bruit, avec ma trousse de toilette et ma serviette.

Joie ! J'étais seule !

Je terminais de me sécher les cheveux quand Charlotte est arrivée, les yeux endormis et sa serviette déposée sur la tête, puisqu'elle avait les bras pleins. Même quand elle ne faisait rien, elle me faisait rire.

— Tu es là ? Mais tu t'es levée à quelle heure ? a-t-elle demandé d'une bouche molle.

— Je suis une lève-tôt.

— Je ne savais pas. Moi, c'est tout le contraire, je pourrais dormir douze heures sans problème.

Elle a commencé à retirer son pyjama… Évacuation !

Il était temps que je me sauve. Si je n'aimais pas qu'on me voie faire ma toilette, j'étais aussi extrêmement gênée de voir les autres faire la leur. Donc… sortie rapide vers le corridor où les portes commençaient à s'ouvrir sur des gens que je ne connaissais pas.

Petit déjeuner à la cafétéria… C'est pas ici que les souvenirs seront les plus heureux. Le chocolat chaud goûtait tellement trop l'eau, les toasts étaient froides et la confiture, genre, ressemblait à une sorte de pommade contre le rhume. :p

Une petite visite à l'épicerie s'imposait, on allait trouver des trucs pour se gâter un peu. Surtout le soir, moi, ça me prend de quoi grignoter.

Nous sommes entrées dans la grande salle où se faisait l'évaluation écrite. Une très longue pièce. Des pupitres bien alignés les uns derrière les autres sur cinq rangées. La salle devait pouvoir contenir au moins deux cents étudiants en même temps, mais nous n'étions qu'une trentaine.

Le vide créait un écho intimidant; nous marchions tout doucement et nous chuchotions. Il y avait des fenêtres sur deux côtés et nous nous sommes assises toutes les trois à nos pupitres attribués par ordre alphabétique.

C'était la partie la plus pénible : refaire un examen. Je pensais bien être en vacances pour l'été, mais non, il fallait encore que je me tape des questions et un horrible texte en anglais. :-p

Deux heures de concentration et huit gros mots plus tard, je remettais ma copie au surveillant qui avait un beau sourire. Je ne pouvais pas lui en vouloir, ce test était pour mon bien. Ils allaient identifier mes lacunes et m'aider à m'améliorer. Je lui ai rendu mes feuilles et son sourire.

J'ai retrouvé Charlotte au café du collège, qui était installé dans un jardin ravissant. Nous avons bu un thé glacé en attendant Anaïs, qui semblait dépassée par le texte. À plusieurs reprises elle avait levé des yeux paniqués dans ma direction.

En attendant, j'ai demandé à Charlotte de me montrer son collier. Je voulais voir à quoi il ressemblait. La pierre était toute petite, violette et au centre de trois ovales qui s'entrelaçaient.

Anaïs est arrivée, les jeux étaient faits, nous avions deux heures avant l'entrevue pour l'oral et j'ai proposé une visite à la bibliothèque. Les filles n'ont pas hésité à me suivre, nous voulions toutes écrire à quelqu'un ou aller sur Facebook pour prendre des nouvelles.

Quand je pense qu'à notre école on se contentait de cinq allées de livres sur des supports de métal ordinaires et de quelques tables... Rien à voir avec ce que je découvrais ici. J'hallucinais en voyant les étagères de cette gigantesque bibliothèque. Malade! Les rayons en bois montaient très haut, à près de dix mètres, et il devait y en avoir mille seulement d'un côté (j'exagère un peu, mais c'était fou); une section plus ancienne était protégée dans une salle à part.

Il y avait de longues tables en bois au centre de la pièce et chacune était éclairée par trois lampes antiques à l'abat-jour bleu. D'immenses fenêtres laissaient entrer la lumière à travers des carreaux de plomb à l'ancienne et, dans certains, il y avait les armoiries du collège.

Je me sentais toute petite, presque une intruse dans un lieu trop important pour moi.

On a trouvé les ordinateurs dans une salle fermée en annexe et les filles ont sauté sur les claviers.

J'ai vérifié mon cellulaire et un signal très faible entrait. Je me suis résignée à aller sur le plus ancien ordinateur du lot et j'ai fait une recherche sous le mot «symbole».

J'ai trouvé rapidement celui de Charlotte, le triquetra ou le triskell. Il représentait trois choses ou trois personnes, c'était le symbole de trois éléments : le feu, la terre et l'eau. Il devait nous représenter, trois filles en voyage, c'était logique. Mes amies se sont vite intéressées à ma recherche. J'ai découvert que ce signe était très puissant en magie. Pour ceux qui y croient, bien entendu.

— Eh bien, je pense que notre compagnon d'autobus était une sorte de sorcier.

— Et ton motif à toi, il veut dire quelque chose ? a demandé Charlotte, de plus en plus intriguée.

— C'est un pentacle tout simple. Il représente les cinq éléments : l'eau, la terre, le feu, l'air et l'esprit. Je ne savais pas que l'esprit était un élément… en tout cas. Je crois que celui d'Anaïs est une rune… un carré avec un signe. Un R inversé, ça dit, Raido… Tu vas tomber amoureuse !

— Qui, moi ? De qui ?

— Je sais pas… Ça le dit pas.

Charlotte a fait des simagrées comme si elle était une voyante et elle a dit, avec un accent slave :

— Attends, yé leu vois… Il est grande et beau… C'est oune étoile… son nom… est... Zac Efron !

Nous étions toutes les trois devant l'ordinateur et on riait un peu trop fort. Nous sommes allées voir si on pouvait trouver des renseignements sur les pierres qui les accompagnaient.

— L'améthyste, la pierre violette de Charlotte… Ils disent qu'elle protège des dangers. Houuuuu…. Mystère! La tienne, Anaïs, on dirait de l'ambre, c'est ce qu'il nous a dit, non? Protection magique… Et la mienne, la pierre de lune? Souvent blanche, cette pierre peut prendre différentes teintes. Les Romains pensaient qu'elle était tombée de la lune.

J'étais excitée à l'idée de découvrir un aspect magique à mon cadeau mais, finalement, j'ai été plutôt déçue.

— Une pierre qui aide les rêves et qui représente la féminité! Qui développe l'intuition… Eh bien!

— Tu es déçue? Tu t'imaginais quoi? a demandé en riant mon amie Charlotte. Que tu étais une divinité?

— Quelque chose de plus piquant en tout cas… Mais bon… c'est quand même un très joli collier.

— Maintenant qu'on sait tout… on peut aller manger? Je meurs de faim.

Nous sommes parties toutes les trois vers l'inconnu, nous ne savions pas où aller manger. En marchant près du collège, j'ai senti une odeur qui m'a attirée tout de suite. Nous avons suivi mon odorat et nous sommes arrivées devant un stand de hot-dogs différents de ceux qu'on connaissait. Une jeune femme faisait griller des légumes et du piment et elle les déposait dans le pain avant d'ajouter la saucisse. Elle nous a expliqué que c'était une recette de Chicago. Je salivais tellement ça sentait bon.

— Tiens, voilà à quoi nous servira ta pierre… À nous dénicher des plats savoureux. Ton intuition va nous faire découvrir des merveilles culinaires, a dit, avec un peu de moquerie dans la voix, Anaïs qui s'est commandé trois hot-dogs. Elle avait vraiment faim! :-o

En avalant mon dîner, je repensais à Ramon. Si je le croisais, j'aurais des tas de questions à lui poser. C'était peut-être un voyant ou... un médium? On aurait pu en profiter pour lui demander ce qu'on voulait savoir. Et on n'avait même pas pris ses coordonnées! :(

Je ne savais pas encore que j'allais rencontrer un sorcier très puissant qui m'en dirait beaucoup plus.

Chapitre 6

L'oral n'était en fait qu'une discussion avec un professeur. Un tête-à-tête trop sympathique. Il m'a interrogée sur Montréal et ma vie en général. Il prenait des notes, sans doute sur mes temps de verbe, mais je n'avais pas du tout l'impression de passer un test. Quinze minutes plus tard, j'allais rejoindre les deux filles qui m'attendaient en compagnie d'un petit groupe d'étudiants. Un jeune homme, qui portait une casquette affublée d'un gros canard ridicule, semblait être le guide qui nous ferait visiter Boston...

Un canard ? Sérieusement ??? @-@

Il s'est présenté, c'était bien notre guide et il s'appelait Stefano. Son horrible chapeau nous permettrait de le retrouver n'importe où dans une foule. Il était affreux, il le savait, mais il nous a dit que son efficacité était légendaire. Je comprends, il était vraiment trop laid, on ne pouvait pas le manquer, même à trois kilomètres.

Stefano venait de Vérone, en Italie, la ville de Roméo et Juliette, tellement romantique ! Il étudiait l'histoire à l'université Harvard et, l'été, il était guide touristique pour payer ses études. Il avait un léger accent qui m'aidait à le comprendre, car il prononçait très bien toutes les syllabes. À peine plus vieux que nous, il était vraiment amusant et les visites ne seraient certainement pas plates en sa compagnie.

Évidemment, dans un cours d'immersion, on ne doit utiliser que l'anglais. Les seuls lieux où on avait le droit d'échanger dans une autre langue étaient l'aile des chambres. Sinon, l'anglais était obligatoire.

Imaginez Anaïs, qui parlait anglais comme moi le chinois – c'est-à-dire pas un mot –, tenter de s'exprimer ! Elle faisait de grands gestes et, nous, on riait trop pour arriver à comprendre quoi que ce soit. Je lui ai dit que ça irait mieux dans une semaine.

De toute façon, tout ce qu'on voulait, c'était que Stefano nous parle de Vérone. Est-ce que Roméo et Juliette avaient vraiment existé ?

— Certains pensent que oui, nous a-t-il dit. Il y avait bien deux familles riches qui se détestaient à cette époque.

— J'ai lu quelque part qu'on peut voir le balcon de Juliette, a raconté Charlotte.

— Oui, bien entendu, tu peux même voir sa maison.

Ici, imaginez Anaïs faisant une sorte de danse de la pluie, en agitant frénétiquement les bras et en émettant des sons qui ressemblaient peut-être un petit peu à de l'anglais. Le seul mot qu'on a compris, c'est *yes*. On la regardait tous les trois, Stefano semblait s'interroger sérieusement sur la santé mentale de notre amie, quand Anaïs s'est mise à crier en français :

— Mais si on peut visiter sa maison, c'est qu'elle a vraiment existé... non ? Bon !

— Oui, mais est-elle réellement la fille de la pièce de théâtre ? On ne le sait pas, lui a répondu en anglais Stefano, hyper lentement en articulant exagérément chaque mot.

Pour commencer la visite, nous allions suivre la *Freedom trail*, le sentier de la liberté. Un tour pédestre de la ville qui permet de voir seize lieux historiques couvrant deux cent cinquante ans d'histoire. Il faut dire que cette ville a été importante dans le destin des États-Unis. Il suffit de suivre le tracé au sol, marqué de briques rouges, et la visite se fait au rythme de nos pas. Il y a plusieurs chemins possibles, Stefano en avait choisi un pour nous.

Nous marchions derrière une tête coiffée d'un canard et nous écoutions ses commentaires un peu distraitement. J'aimais regarder autour de moi, les gens étaient jeunes et je me disais que la vie devait être tellement agréable dans cette ville dynamique.

Les terrasses étaient très occupées et il y avait des amuseurs publics un peu partout.

Sur un coin de rue, un jongleur faisait sauter des casseroles. Un peu plus loin, une jeune fille dansait pendant que son ami jouait du violon et, sur l'autre trottoir, un magicien sortait à toute vitesse des parapluies des poches des touristes étonnés. En cinq minutes, il était noyé de parapluies multicolores. La ville vibrait d'une belle énergie et je me suis dit que j'aimerais venir étudier ici.

Après une vingtaine de minutes, nous arrivions dans la partie ancienne du port de la ville. Stefano nous a raconté qu'un jour de l'an 1620, des dissidents anglais sont arrivés en Amérique. Leur bateau se nommait le *Mayflower* et ils étaient les premiers à venir avec l'intention de rester. Ils sont devenus les pères fondateurs. À bord, ils avaient décidé des règles qui régiraient leur nouvelle communauté.

Les puritains, religieux très rigoureux, sont venus s'installer pour fuir les guerres de religion. Plus tard, les quakers ont débarqué eux aussi, en quête de paix et de liberté, mais comme ils ne s'entendaient pas avec les autres, ils sont allés vivre plus loin sur la côte.

Stefano nous a aussi expliqué comment la Révolution américaine a commencé. Elle est partie d'ici, de Boston, parce que les gens étaient surtaxés par le roi qui imposait ce qu'il voulait et gardait pour lui les biens, sans considération pour les colons. L'Angleterre contrôlait tout, même la marque du thé qui était livré en exclusivité.

Un jour, un bateau avec une cargaison de thé est entré au port. Des citoyens mécontents se sont déguisés en Amérindiens et ont jeté la cargaison à l'eau. On a appelé cette révolte la *Boston Tea Party.*

J'écoutais un peu distraitement, tout en observant les gens autour de moi. Nous passions dans des rues ravissantes et de coquettes maisons étaient entretenues avec fierté.

Notre guide continuait son récit. C'était intéressant et on voyait les lieux et les édifices où l'action s'était déroulée. Et puis, un mot nous a fait sursauter : Québec ?!?

— Oh, il parle de nous, qu'est-ce qu'il dit ? a murmuré Anaïs.

— Je ne sais pas trop, il y a eu un *Quebec Act* qui a enflammé la révolution, nous a expliqué Charlotte.

— Stefano, c'est quoi l'Acte de Québec ?

— Vous ne connaissez pas votre histoire ? s'étonna-t-il. Pourtant vous devriez savoir que vous avez joué un rôle important dans cette révolution.

— Oui, mais je ne comprends pas…

Charlotte m'a donné un coup de coude et a fait signe à Stefano de continuer.

— Aïe, pourquoi tu me donnes un coup? Qu'est-ce que j'ai dit?

— Tu veux qu'il nous prenne pour des idiotes?

— Mais je ne sais pas de quoi il parle.

— On va trouver... Écoute ce qu'il dit.

Comment pouvait-on ne pas savoir de quoi il parlait?

Nous ne suivrions plus ce tour guidé de la même façon. Stefano avait su capter notre attention.

De retour au collège, nous avons été tout droit à la bibliothèque, direction ordinateur et vite le moteur de recherche... «*Quebec Act*». On était très curieuses. Moi, du moins, je voulais des réponses et j'ai vite trouvé. La carte de l'époque était vraiment surprenante.

— Hé... Les filles, on avait une province qui s'étendait jusqu'au Mississippi! Cadeau du roi d'Angleterre qui ne pouvait pas se passer de notre soutien. Vous le saviez?

Je lisais lentement et je racontais aux filles ce que je comprenais du texte.

Pour éviter que la révolte qui bouillonnait dans les colonies ne s'étende chez les Français de la Nouvelle-France, le roi d'Angleterre leur a offert une province longeant les treize premières colonies américaines. Il voulait acheter la paix et notre soutien.

C'était tout un cadeau, sauf qu'il empêchait l'expansion des anglophones dans cette région-là.

— Il a offert un gigantesque territoire aux Français de Nouvelle-France !

— Jusqu'au Mississipi, c'est la Louisiane, non ? a demandé Charlotte.

— Oui, et en plus, il nous accordait la possibilité de garder notre langue et de pratiquer notre religion. Il semble que c'était pas une décision trop trop populaire auprès des colons anglais par contre. C'est leur mécontentement qui a enflammé la révolution. C'est clair que c'était très avantageux pour nous et pas tellement pour les anglophones.

Comment je pouvais ne pas savoir tout ça ? Je dormais pendant les cours d'histoire ?

— Oh ! j'ai trouvé ! a crié Anaïs.

— Quoi ?

— Quoi ?

Nous étions super attentives, Charlotte et moi.

— Un restaurant italien recommandé par Stefano.

Visiblement, nous ne cherchions pas du tout la même chose. Charlotte, après vérification, était sur le site de Vérone, en Italie, et Anaïs, sur les traces d'un restaurant.

— Anaïs, tu ne penses qu'à manger ou quoi ?

— Il a dit que c'était un bon endroit. Oups, c'est plutôt cher, mais il paraît que c'est vraiment bien, en tout cas, lui, ça lui rappelle la cuisine de sa mère.

— Et tu es certaine d'avoir compris ça? En anglais? Tu ne te trompes pas? a demandé Charlotte d'un ton étrange.

— Il parle très bien français! Tu ne savais pas? Je lui ai demandé de me recommander un bon restaurant et il m'a donné le nom de cet endroit. Je sais qu'il doit normalement n'utiliser que l'anglais, mais bon...

— En français? (*Charlotte semblait en douter.*)

— Oui, il parle, genre, trop bien le français.

Quelque chose se passait que je ne saisissais pas vraiment. Est-ce que les filles étaient en froid?

Pourquoi Charlotte avait-elle ce ton un peu méprisant?

Et Anaïs, pourquoi la prenait-elle de haut?

— OK, les filles, qu'est-ce qui se passe? J'ai raté quelque chose? Pourquoi vous vous parlez comme ça?

— Ben quoi?

— Il y a rien. Sauf peut-être que Charlotte n'aime pas que Stefano m'ait parlé à moi et pas à elle?

— Je ne vois pas ce qui me dérangerait qu'un gars te donne le nom d'un restaurant.

Charlotte ne riait pas d'un rire naturel et Anaïs avait ses yeux des mauvais jours. Et là, j'ai compris… Les deux filles étaient sous le charme de notre guide.

J'ai remarqué qu'Anaïs jouait avec son bijou tellement pas de façon naturelle et Charlotte lui a fait un air hautain et est retournée lire sur Internet.

— La question est simple, a lancé Anaïs, j'y vais toute seule ou vous venez avec moi ?

— Je ne sais pas… Pourquoi pas ? j'ai répondu. Mais je ne pourrai pas me payer ce genre de sortie souvent.

— On y va toutes, j'aurais trop peur que tu te perdes. On ne peut pas laisser Anaïs toute seule dans une ville où on utilise une langue qu'elle ne connaît absolument pas. Ça serait de la cruauté mentale.

— Ah ah ah… a lancé Anaïs avant de sortir de la pièce.

— Charlotte ? (*Je ne reconnaissais plus mon amie.*)

— C'étaient des blagues… voyons… si on ne peut même plus rire. Franchement !

Je n'avais pas prévu ça. Si mes amies étaient en chicane, j'allais faire quoi, moi ?

Chapitre 7

On était attablées et je cherchais sur le menu quelque chose à un prix raisonnable. Les deux filles discutaient presque normalement. Il fallait une oreille bien entraînée pour entendre que les échanges n'étaient pas tout à fait sur un ton naturel. Au moins, elles faisaient comme si tout allait bien. Il ne fallait pas qu'un guide touristique à casque de volatile aquatique vienne gâcher notre séjour. Ce serait vraiment dommage.

Anaïs regardait partout et s'émerveillait de toutes les décorations. J'ai réalisé assez rapidement qu'en fait, elle surveillait la porte. Avait-elle donné rendez-vous à Stefano ou espérait-elle, secrètement, qu'il passe par hasard?

— Est-ce que c'est Stefano qui doit faire toutes les visites guidées?

— «Oui», ont-elles répondu en chœur. (*Elles se sont regardées une seconde et un éclair est passé entre elles.*)

— Il a le contrat pour tout notre séjour, a précisé Anaïs.

— Il nous emmène aussi au théâtre, a ajouté Charlotte.

Je regrettais d'avoir prononcé le prénom de notre guide et je me suis promis de ne plus le nommer tant que le sujet serait aussi sensible. Mais au moins, je savais à quoi m'en tenir, Stefano serait avec nous presque tous les jours, ce qui ne pouvait qu'envenimer la situation.

— Vendredi, nous allons à Salem, a annoncé Charlotte. Là où il y a eu la fameuse chasse aux sorcières.

— C'est pas en Angleterre, ça? (*J'étais un peu confuse.*)

— Non, Stefano a dit que c'était une petite ville pas très loin d'ici.

— Vous croyez qu'il y a encore des sorcières?

J'essayais d'attirer l'attention d'Anaïs qui n'entendait rien, elle se concentrait sur la porte.

— Je ne sais pas. Ça doit pas, elles ont pas envie d'être pourchassées.

— Il doit bien y avoir un livre sur le sujet à la bibliothèque.

— Anaïs, qu'est-ce que tu fais à regarder la porte sans arrêt? Tu n'écoutes pas ce qu'on dit! On t'ennuie peut-être?

Charlotte avait un ton un peu trop acide.

—Je regarde les photos autour de la porte d'entrée.

—Mais oui, c'est ça... Si c'est Stefano que tu attends, tu ferais mieux de t'intéresser à notre conversation parce qu'il ne viendra pas.

—Je n'attends personne.

—Tant mieux.

Pendant quelques minutes, le silence a rendu l'atmosphère vraiment lourde. On regardait notre menu et on ne disait plus rien.

—Et comment tu sais qu'il ne viendra pas? a osé demander Anaïs, d'un air vaguement innocent, mais comme actrice on a déjà vu mieux.

—Il me l'a dit. Ce soir, il a un entraînement d'aviron.

Je n'en revenais pas que les filles aient réussi à avoir autant d'informations sur lui, alors que je ne m'étais absolument rendu compte de rien de toute la journée.

—OK, on va faire quelque chose. Quand Stefano n'est pas là, on ne pense pas à lui, on ne parle pas de lui et on oublie même qu'il existe.

—Bonne idée. (*Charlotte trouvait ça amusant.*)

—On peut essayer. (*Anaïs était beaucoup moins de bonne humeur.*)

J'ai l'impression que les filles jouaient une sorte de jeu dont elles étaient les seules à connaître les règles. Elles marquaient des points, et là, visiblement, c'était Charlotte qui venait de compter le dernier but.

Nos cellulaires ont sonné, les trois en même temps. Le bip du message texte. Nous avions nos affectations pour les cours du lendemain.

Je regardais mes résultats sans trop comprendre. Nous allions toutes être dans des classes différentes, mais peu importe, nous étions ici ensemble et c'était le principal ! :)

Après un repas délicieux, nous marchions tranquillement sur le chemin du retour. Les rues étaient encore très animées. Je suis entrée dans une boutique et j'ai trouvé un livre amusant avec des photos des années quarante, je crois. J'ai pensé à Loup, il allait aimer ces vieilles images d'Amérique et, en plus, il y avait des filles d'un autre temps, plutôt amusantes. Je lui ai texté : « Ai trouvé un cadeau pour toi ! » J'étais contente. Joie !

Il était encore tôt et j'ai décidé d'aller à la bibliothèque chercher des informations sur les sorcières de Salem. Le sujet m'intéressait et je voulais préparer cette visite.

J'ai croisé un groupe de jeunes hommes qui sortaient des douches et traînaient leur sac de sport. Ils me souriaient et me regardaient avec un peu trop d'insistance. J'ai réalisé que Stefano était avec eux. Il leur a dit de partir et il s'est arrêté.

— Alors, vous avez passé une belle soirée?

— Oui, merci… On est allées manger à ton restaurant. C'était très bon.

— C'est vrai? Les autres ne sont pas avec toi?

— Non… J'ai une petite question pour toi… Est-ce qu'il y en a une des deux que tu aurais voulu voir ce soir?

— Une… des deux? Je ne comprends pas?

— Tu me demandes si je suis seule, qui aurais-tu voulu voir avec moi?

— Personne. Je suis content de te croiser. On a très peu parlé aujourd'hui.

— Je sais. (*J'ai éclaté de rire en pensant à tous les détails qu'avaient appris mes amies…*) Je m'en vais justement à la bibliothèque pour trouver des informations sur les sorcières, pour préparer la visite de Salem.

— Si tu ne trouves rien, tu me le diras. J'ai un très bon livre sur le sujet.

— Merci… À demain.

— À demain… Hé, tu veux que je t'accompagne?

— Où? À la bibliothèque? Non merci, je sais où elle est.

—Je pourrais te dire tout ce que je sais…
Il y a beaucoup de sorcières à Salem… et…

—Il y en a encore ?

—Oui, bien sûr.

—Ça me fait un peu peur ces histoires. O-O

—Il ne faut pas… Je vais t'expliquer si tu veux…

Tout à coup, j'ai réalisé qu'il était un peu trop… comment dire… insistant, mettons. Et je ne voulais pas de sa compagnie et… bon… j'ai dû jouer de finesse pour lui faire comprendre que je souhaitais y aller seule. Je ne voulais pas le fâcher, mais en même temps, je désirais que les choses soient claires entre nous.

Il est reparti en m'envoyant la main.

À la bibliothèque, une dizaine d'étudiants installés à leur table travaillaient tranquillement. J'ai trouvé rapidement la section appropriée et j'ai parcouru l'allée en regardant les titres. J'avais déjà choisi deux livres quand un curieux document a attiré mon attention, glissé entre deux livres. On voyait à peine un petit morceau de cuir qui s'échappait. J'ai tiré dessus et j'ai dû retirer un livre pour le dégager. C'était un agenda, ou quelque chose du genre, en cuir travaillé. Sur la couverture, le même pentacle que mon collier. Étrange !

J'ai eu un frisson avant d'ouvrir le document. C'était un journal intime. Sur la première page, j'ai lu :

« *Ceci est mon livre des ombres. Je m'appelle Fabrice et je suis égaré dans le monde des secrets. Dans les dédales de ma vie, je suis seul face aux forces extérieures.* »

C'était troublant et je ne pouvais m'arrêter de lire. Qu'est-ce que ce livre faisait là ? Il n'avait pas de numéro d'identification, rien ne laissait penser qu'il appartenait à la bibliothèque. En regardant mieux, j'ai trouvé une date : 1998.

Ce n'était certainement pas un étudiant qui l'avait laissé là entre deux séjours. La curiosité était trop grande et je l'ai mis dans mon sac à dos. J'ai sorti deux livres sur les sorcières et un autre sur la pratique moderne de la sorcellerie. Puis je suis retournée dans la chambre, trop pressée de continuer la lecture de ce livre des ombres.

Chapitre 8

Arrivée dans mon lit, je n'avais qu'une seule pensée, lire le livre que j'avais découvert. J'ai d'abord examiné la couverture avec attention. C'était un cuir de bonne qualité un peu noirci par le temps et le dessin avait été fait à la main. Sans doute par Fabrice lui-même.

Je ne m'étais pas rendu compte que le silence était pesant dans la pièce. Les filles lisaient leur magazine. Quand j'ai réalisé que l'atmosphère était vraiment glaciale, j'ai montré mon livre en l'agitant devant moi. Anaïs a été la première à réagir.

— Qu'est-ce que c'est?

— Je ne sais pas trop encore. Je l'ai trouvé à la bibliothèque. C'est un journal ou quelque chose du genre.

— Un roman?

— Non, c'est un vrai, écrit par un certain Fabrice. Il n'appartient pas au collège… Je n'ai aucune idée de ce qu'il faisait là.

Charlotte a réagi à son tour.

— C'est peut-être indiscret.

— Il date d'il y a longtemps, il a dû l'oublier depuis.

Anaïs avait atterri sur mon lit en deux longues enjambées.

— Il a une belle écriture en tout cas.

Charlotte s'est fait une place sur mon lit elle aussi. Je vous rappelle que ce sont des lits simples et s'il existe un modèle de super extra-mini lit méga étroit pour une seule personne, le mien était dans cette catégorie. Je n'ai rien dit, car j'étais contente que les filles se parlent de nouveau, mais on était un peu agglutinées. :)

J'ai ouvert la première page et leur ai expliqué qu'un livre des ombres était le journal d'une personne qui pratiquait la sorcellerie, ou la magie. Je l'avais lu dans *La sorcellerie moderne et autres magies d'aujourd'hui*. C'est dans ce document que le pratiquant écrivait ses réflexions, ses recettes ou ses incantations.

Les filles avaient les yeux grands ouverts.

— Des quoi?

— C'est peut-être dangereux? a soufflé Anaïs, impressionnée.

— Je vais commencer à le lire et on verra... non? Je trouve vraiment très étrange que sur la couverture il y ait le même symbole que mon collier...

J'ai vu que mes amies réagissaient encore avec frayeur.

— Il ne faut pas paniquer... On reste calmes... C'est peut-être de la bonne magie.

J'avais lu qu'il y avait de la magie blanche et de la magie noire. La première est très positive, la deuxième, je préfère ne pas trop m'y attarder. :x

— OK, a annoncé Charlotte, on le lit ensemble. Chacune à notre tour. À haute voix. Comme ça, on saura si quelque chose ne va pas. Au premier signe que quelque chose cloche, on arrête.

— Bonne idée! (*Anaïs était enthousiaste.*)

— Pourquoi pas? (*Je souhaitais toujours rapprocher mes amies et les distraire du séduisant Stefano.*)

— Ben, c'est en anglais! (*Anaïs avait perdu son enthousiasme.*)

— Ça va te faire travailler... Je suis la première.

J'ai commencé la lecture, mais je n'osais pas parler fort. J'avais le sentiment d'entrer dans l'intimité de quelqu'un et peut-être que ce n'était pas vraiment bien. Alors, je soupirais plus que je ne parlais. Les filles se sont rapprochées pour mieux entendre. Un nuage de magie flottait dans l'air.

« *J'ai décidé d'écrire ce journal pour raconter les étapes qui m'ont amené à faire certains choix difficiles. Déjà enfant, à Lyon, j'étais différent des autres. Plus chétif peut-être et plus lunatique. Je vivais entre deux mondes, celui de l'imaginaire où les fleurs parlent, où les sirènes chantent et l'école où les enfants me détestaient. Pourquoi? J'ai souvent essayé de comprendre. Quand les rôles ont été distribués, pourquoi ai-je reçu celui-ci?*

Raillé pendant mon enfance, je croyais trouver la paix une fois au lycée, mais j'ai rencontré pire: le rejet.

Adolescent seul, isolé dans mon univers sans espoir, j'étais trop délicat et sensible pour me défendre. Ils ont dit que j'étais une fille, pas un vrai mec; que j'étais un minus et ils m'ont battu, humilié et délaissé.

Plus rien n'a d'importance aujourd'hui. Si j'en parle, c'est pour expliquer que j'ai fait des choix.»

— Il a beaucoup souffert, je pense.

— Oui, c'est difficile d'entendre ça, a murmuré Anaïs.

— On continuera demain. Il faut dormir.

Je trouvais que c'était assez pour ce soir. Ce journal ne serait pas toujours agréable à lire. Ce Fabrice n'avait pas eu une vie facile et je me disais qu'on devrait peut-être arrêter la lecture tout de suite, sauf qu'en même temps, je ne savais pas pourquoi, mais la curiosité était trop forte. Comme si le livre demandait à être lu.

Nonnnnn, je n'avais pas perdu ma boussole solaire, je n'étais pas devenue folle. C'était une impression et je ne pouvais pas l'expliquer autrement.

Cette nuit-là, j'ai fait des rêves agités. Il y avait des gens qui me tiraient par les pieds pour m'obliger à les suivre et je tentais de leur résister et, croyez-le ou non... le fameux type qu'on avait cru être un ennemi parce qu'on pensait qu'il nous suivait en France, mais qui n'était pas du tout méchant finalement... eh bien, il revenait encore dans mes cauchemars. Son regard de glace me faisait trembler. Il voulait m'arracher mon collier, mais il finissait par se sauver avec mon sac à dos. Ces rêves étaient épuisants... Ce qui fait que...

Mardi

Chapitre 9

Identification visuelle: *Chambre ensoleillée*

Identification auditive: *Je suis seule?!?*

Quoi? Je suis seule? Où sont les autres?

J'étais passée tout droit et mes amies ne m'avaient pas réveillée!

Ça veut dire que… comment je vais faire pour ma toilette? Oh non.

J'allais devoir faire des pirouettes pour que personne ne me voie! Je cherchais une solution tout en essayant de mettre mon cerveau en place rapidement. Si j'enfilais ma robe de chambre et qu'innocemment je la déposais pour qu'elle me cache? Je l'installerais où? Le crochet de douche était sur le côté, ce qui ne servait à rien. Ma serviette? Je pourrais la tendre d'un côté à l'autre. Mais non, tout le monde allait rire de moi. J'ai songé leur dire que j'étais timide et que j'étais juste trop mal à l'aise. Je savais qu'elles me répondraient que nous étions toutes faites pareilles, je le savaissssss… Elles auraient raison, mais ça ne changerait rien pour moi. Nos quelques différences, c'était justement ce que je voulais cacher.

Pour le brossage de dents, j'allais y arriver. Un jour, j'avais dû le faire devant Alexandre et tout s'était plutôt bien passé, mais la douche ? Impensable.

Réfléchissons et vite ! Si je continuais à hésiter, j'allais être en retard pour de vrai.

Ne pas me laver ?!? Je pourrais dire que je n'avais plus le temps avant mon cours… J'allais courir me brosser les dents et les cheveux, m'excuser auprès de tout le monde pour cet inconvénient. Faire la fille vraiment sincèrement désolée. Les assurer que j'allais venir prendre ma douche plus tard. Hum, solution intéressante.

En plus, l'idée de ne pas me laver… beurk. Ô-o

Je me rappelle, un jour j'ai vu des photos d'étranges créatures extra-minuscules qui grugent notre peau. C'était genre grossi dix mille ou même un million de fois, mais c'était tellement laid. Je ne porte que des vêtements propres, je change mon lit toutes les semaines et surtout je me lave tous les jours. J'ai aussi lu dans un livre que le corps humain est celui qui sent le plus mauvais. Oui, plus encore que le cochon ou je sais pas trop… euh, le singe ou un mouton, genre. Si on ne se lave pas, on dégage des odeurs terribles.

C'est comme Bob, un gars, l'an passé, on a fini par faire une pétition pour lui demander de mettre du désodorisant. On n'en pouvait plus, je ne peux pas croire qu'il ne se rendait pas compte des effluves nauséabonds qu'il dégageait.

On l'avait surnommé Bob le bouc.

Je n'en étais pas encore là, quand même! -_o

C'était décidé, je ferais celle qui s'était réveillée trop tard et qui allait revenir pour passer sous la douche. OK.

C'était parfait, le cours s'était bien déroulé. J'aimais le prof qui discutait avec nous comme si nous étions des amis et les sujets étaient intéressants.

Une fois le cours terminé, j'ai couru vers les douches. Tout allait bien jusqu'à ce qu'un groupe de filles arrivent pour se remaquiller. Je croyais mourir, me liquéfier et disparaître avec l'eau qui s'écoulait par le drain. J'essayais de me cacher du mieux que je pouvais, pliée en deux, un bras sur la poitrine et l'autre qui tentait de dissimuler ce qu'il pouvait; je devais être parfaitement ridicule… Mais honnêtement, personne ne me regardait. C'était comme si je n'existais pas.

Elles parlaient suédois je crois et, visiblement, leur beauté les intéressait plus que ma petite personne. J'ai enroulé ma serviette autour de moi et j'ai couru jusqu'à ma chambre, longeant les murs et laissant des traces d'eau tout le long du corridor. Ne plus jamais me réveiller en retard.

Je dégoulinais dans la chambre. Il y avait une flaque à mes pieds.

J'étais peut-être pathétique... oui, mais propre!

Chapitre 10

Ce midi-là, nous faisions un tour de bateau sur la *Charles river*. Il y avait un buffet servi à bord et Stefano nous accompagnait pour répondre à nos questions. Pour une fois, il avait laissé son affreux chapeau au vestiaire. Soulagement!

Le bateau était très bien décoré, il y avait des passerelles pour regarder le paysage et, à l'intérieur, une grande salle à manger vitrée avec des chaises bleues imposantes, des nappes blanches et de superbes bouquets de fleurs. Le buffet était immense et les choix nombreux. C'était pas une croisière ordinaire, c'était un dîner royal, on se serait cru sur le *Titanic*.

On a quitté le port tranquillement et le guide décrivait les lieux qu'on pouvait apercevoir sur le rivage mais, très vite, notre groupe s'est assis à la table de Stefano. Sous prétexte de lui poser des questions sur la visite, alors que je savais très bien que Charlotte et Anaïs jouaient du coude pour être à côté de lui. Il ne s'est pas défendu et m'a invitée à m'asseoir en face de lui. J'avais une place près de la fenêtre et le spectacle du port était fascinant. Il y avait de vieux voiliers qui naviguaient au milieu des bateaux modernes. Je rêve de voyager sur un de ces voiliers un jour. J'adore les bateaux.

Stefano m'a demandé si j'aimerais suivre un cours de voile. J'ai sauté sur l'idée, j'ai dit que oui, ce serait génial. Alors, il m'a invitée à prendre une leçon avec lui le lendemain, mercredi. Un ami avait un petit voilier et lui connaissait les bases de la navigation. Anaïs et Charlotte écumaient la vapeur qui leur sortait des oreilles et elles m'envoyaient des éclairs avec leurs yeux frustrés, c'était comme être prise au piège devant deux dragons affamés.

J'ai vite proposé :

— Et pourquoi nous n'irions pas toutes les trois ?

J'allais survivre, j'ai vu les épaules des filles descendre d'un kilomètre. La tension était relâchée. «Bien sûr», a répondu Stefano tout sourire comme d'habitude... Sauvée !

Nous avons entendu des éclats de voix féminines qui venaient du bar. Deux Russes discutaient fermement avec le barman. Stefano s'est levé pour aller voir ce qui se passait. Nous avons fini par comprendre qu'elles étaient offusquées qu'on ne serve pas d'alcool aux moins de vingt et un ans. Les filles étaient très en colère, parce qu'elles ne connaissaient pas ce détail important.

— Savannah, pourquoi tu veux prendre un cours de voile tout à coup?

— Euh, moi? J'ai toujours aimé les bateaux.

— Je ne peux pas croire que tu songes à tromper Alexandre, a craché une Anaïs très tendue.

— Moi? Mais avec qui? Je ne comprends pas.

— Avec Stefano, on a très bien vu ton jeu. Tu peux nous le dire qu'il te plaît. (*Charlotte avait les bras croisés et un regard sévère.*)

— Mais pas du tout. Qu'est-ce que vous racontez. Bon… Ça suffit. Je ne suis pas intéressée par lui, il m'a proposé cette activité et ça me tente d'en apprendre plus. Ce que je sais de la voile, c'est ce que mon père m'a appris. Vous êtes trop ridicules à vous disputer pour lui. Il ne peut pas vous choisir toutes les deux de toute façon.

— Il y en a qui rêvent, a soufflé Charlotte, en jetant un regard vers Anaïs.

— Et d'autres qui s'inventent des histoires, lui a-t-elle répondu avec un sourire un peu cruel.

Heureusement, Stefano a choisi ce moment pour revenir à la table. Je me suis levée pour aller me servir au buffet et me calmer un peu. Cette histoire d'amour allait finir par nous gâcher notre séjour, si en plus elles étaient jalouses de moi, ça allait être l'enfer. J'ai pris deux *lobster rolls* qui avaient l'air trop bons. Le buffet était tentant et j'avais envie de goûter à tout.

De retour à table, j'en ai profité pour poser une question sur les sorcières de Salem à notre guide. Erreur !

— Tu as trouvé le livre que tu cherchais l'autre soir ?

— Oui, merci.

— Mes amis t'ont trouvée très jolie et ils ont posé des questions. Ils voulaient savoir comment je te connaissais, d'où tu venais.

Oh ! catastrophe planétaire, je n'avais pas raconté ma rencontre avec Stefano aux filles. Leur visage était devenu blanc et leurs lèvres serrées n'annonçaient rien de bon.

— Ah oui, quand tu sortais des vestiaires ? C'était après ton entraînement, non ? C'est ça ?

— Oui, c'était mon équipe de rameurs. Nous sommes huit, plus le barreur.

Ouf, j'avais trouvé un sujet pour l'intéresser. Mes deux amies en ont profité pour l'inonder de questions sur ses activités et, moi, je regardais tranquillement par la fenêtre en faisant semblant d'écouter la conversation.

J'ai entendu Anaïs parler d'Alexandre, en mettant beaucoup d'accent sur notre relation amoureuse. Charlotte en a rajouté et je ne les ai pas contredites, au contraire. Stefano allait savoir que j'étais prise et nous pourrions éviter une guerre atomique.

Dans le haut-parleur, le guide parlait du deuxième président des États-Unis qui avait été un des plus importants personnages de la Révolution. John Adams était un avocat de la région qui avait réussi à convaincre les douze autres colonies de s'unir contre l'Angleterre. Tout un exploit. C'est étrange comme on se souvient toujours du nom des premiers mais rarement des deuxièmes...

Le deuxième homme qui a marché sur la Lune ? Le premier, c'est Neil Armstrong, d'accord, mais ensuite ? Le deuxième qui a traversé l'Atlantique en avion ? Le deuxième qui a atteint le pôle Nord ?

Le premier président américain était George Washington, mais qui connaît vraiment le suivant ?

À ce moment-là, deux personnes sur le bout d'un quai ont attiré mon attention. Je n'en croyais pas mes yeux, mais pourtant, je ne pouvais avoir aucun doute... L'associé du père d'Alexandre était là, en personne. Il discutait de façon animée, il ne semblait pas de bonne humeur et levait les bras avec de grands gestes. Mon cœur s'est arrêté.

Je savais que c'était un ami de monsieur Préfontaine et je me souvenais très bien qu'il m'avait aidée en me tendant la main... Mais tout à coup, sa présence dans ma vie, à un endroit aussi loin de son bureau... Je n'aimais pas ça et je frissonnais.

Stefano a remarqué ma confusion et m'a demandé si tout allait bien. J'ai répondu que j'avais un peu chaud, de ne pas s'inquiéter. Je suis allée marcher sur le pont. En fait, je voulais tenter d'identifier le lieu où nous passions.

J'ai pris mon téléphone et j'ai texté à Alex :

« L'associé de ton père est à Boston. C'est normal ? Rassure-moi, svp. *Kiss* S. »

Les idées se bousculaient dans ma tête. Une partie de moi voulait croire que cet homme était un gentil assistant qui travaillait sur un document important, mais l'autre moitié se disait que ce hasard était vraiment étrange et que quelque chose de pas normal se tramait sur ce quai.

Mercredi

Chapitre 11

Alexandre avait été aussi surpris que moi d'apprendre que l'associé de son père – dont j'ai enfin appris le nom, monsieur Leconte – soit aux USA et pas à l'université de Paris.

Le lendemain, il m'appelait pour m'expliquer que le type ne travaillait plus sur le projet avec son père et qu'il avait été engagé par une compagnie privée. Il ne savait pas laquelle, mais peut-être qu'elle était à Boston.

Je me suis dit qu'il était temps que je me calme et que j'arrête de voir des complots partout. Ce pauvre homme m'avait sauvé la vie et j'étais encore capable d'imaginer le pire à son sujet?

Je marchais tranquillement vers le café étudiant où m'attendaient mes amies, quand j'ai croisé Stefano qui arrivait en courant.

— Savannah, tu es prête?

— Prête?

— Pour le cours de voile? Je suis en retard, excuse-moi.

— Oui, oui… J'étais dans la lune, oui, je suis prête.

— Tes amies ne sont pas avec toi?

— Elles nous attendent au café.

— Ah bon… (*Il semblait un peu déçu.*)

Je commençais à me demander s'il ne me faisait pas un peu la cour. Pourtant, les filles avaient été très claires au sujet de ma vie amoureuse. Elles voulaient qu'aucun doute ne persiste. J'étais pas vraiment à l'aise avec la situation. Je ne suis pas très perspicace quand il s'agit d'amour. Je ne me rends pas compte quand un gars est amoureux de moi. Il faut qu'il en fasse des montagnes pour que je comprenne ses sentiments. Là, les filles avaient peut-être raison, Stefano cherchait à être seul avec moi…

Avec Alexandre, je m'étais tellement trompée sur ses intentions. Je pensais qu'il se croyait supérieur et qu'il voulait m'impressionner, alors qu'il tentait de me plaire.

Milan, je pensais qu'il m'aimait, alors que c'était Lydia qu'il désirait.

Donc, je suis nulle. Enfin, pour tout ce que j'en savais, Stefano cherchait peut-être la paix, ce qu'il pensait avoir avec moi, puisque je n'étais pas libre.

— Tu sais, Savannah… Je ne comprends pas que ton amoureux ne soit pas avec toi.

— Pardon?

— Si tu étais ma copine, alors je ne te laisserais jamais seule. Je serais l'homme le plus heureux du monde et je ne supporterais pas d'être sans toi plus de trois minutes.

— Oh… Alors, j'étoufferais, non? (J'ai tenté de tourner la conversation en blague.)

La situation prenait un virage dangereux.

— Je te couvrirais de mots d'amour. Tu serais la reine et, chaque minute, je te dirais comme tu es belle.

— Ah… On voit bien que tu viens de Vérone. Tu es sûrement un descendant direct du célèbre Roméo.

— Et tu es ma Juliette, mais tu l'ignores encore.

— Hum, je ne pense pas. Je n'ai rien de Juliette, tu sais. Je suis très heureuse d'avoir mon indépendance. Je n'aimerais pas avoir un homme sur les talons toute la journée. Des compliments, c'est bien, mais disons que je préfère les discussions passionnantes aux déclarations d'amour.

— C'est que tu n'as pas encore été aimée comme il faut.

— Ou bien que ce type d'amour ne m'intéresse pas.

Nous arrivions enfin au café. Tout à coup, je regrettais d'avoir accepté ce cours de voile. J'ai eu une idée… Vive comme un éclair, vlan, elle a traversé mes pensées et bang, j'étais par terre.

Je me plaignais, en pleurant presque, de m'être tordu la cheville en tombant.

Stefano était auprès de moi, paniqué et trop stressant. J'ai réussi à les convaincre que ce n'était qu'une petite entorse, mais que je ne pourrais pas les suivre. Bon, après ce fut toute une histoire pour les persuader d'y aller sans moi.

Soupir de soulagement!

J'ai fini par les voir partir tous les trois. J'envoyais la main, l'air déçu, mais en fait, j'étais trop contente d'avoir mon après-midi à moi.

J'ai couru à la chambre à coucher. Une chance qu'ils ne m'ont pas vue grimper les marches au galop. Je dirais plus tard aux filles que c'était pour leur laisser le champ libre. Elles comprendront alors pourquoi je leur ai menti.

J'ai encore croisé les Russes, souriantes comme toujours. Elles avaient trouvé le moyen d'acheter de l'alcool qu'elles montaient dans leurs chambres.

Une fois sur mon lit, j'ai ouvert le livre des ombres de Fabrice. Au fond, sans le savoir, c'était la seule chose que j'avais en tête. Continuer de lire son histoire et comprendre ce qui avait pu lui arriver.

« *Mes parents sont venus s'installer en Amérique. À Boston, plus précisément, et j'ai commencé à fréquenter le collège. Au début, tout se passait plutôt bien. J'étais le petit nouveau, on me laissait tranquille. Mais bientôt, des rumeurs ont circulé. Ils ont commencé à m'éviter, à faire comme si je n'étais pas là.* »

C'est tellement horrible ce que des gens différents peuvent vivre parfois. Je repensais à ma façon de juger trop rapidement. Éva, ma voisine qu'on appelait *Bitch*, sans raison, seulement pour la mettre dans la catégorie des « non désirées ». Ce phénomène existe depuis toujours, il est difficile à expliquer et il sera compliqué de l'arrêter.

J'avais beaucoup de sympathie pour Fabrice qui avait souffert et j'étais inquiète de découvrir comment il avait pu faire des choix qui allaient le perdre dans le monde obscur… J'ai fermé le livre comme s'il me brûlait les mains. Peut-être avait-il commis un crime ? Fabrice semblait désespéré, j'ai eu peur, tout à coup, qu'il y ait des informations indiscrètes ou même compromettantes dans ce journal.

Qu'est-ce que je ferais si je découvrais un secret dans le livre ? Il fallait que j'y réfléchisse.

Chapitre 12

Les filles des chambres voisines faisaient la fête. On entendait rire et je ne pouvais plus me concentrer. J'ai décidé d'aller voir ce qui se passait. Les portes étaient ouvertes et elles étaient une bonne dizaine à danser. Elles m'ont vue et m'ont invitée à les rejoindre. Mes voisines recevaient d'autres filles et la fête battait son plein.

J'ai accepté de me joindre à elles, mais j'ai refusé l'alcool et je ne comprenais pas toutes les discussions… mais elles étaient toutes gentilles et m'offraient à manger et souriaient en baragouinant un anglais aussi absurde que celui d'Anaïs. Je hochais la tête, mais ce qui m'intéressait, c'était de les observer. Si différentes de nous et semblables en même temps.

Je me suis mise à danser. Ça faisait du bien de se laisser aller. Charlotte est arrivée à ce moment-là et est venue me rejoindre, trop contente de faire le clown à la fête.

Anaïs avait son regard sombre et n'avait pas du tout envie de rire. Je l'ai invitée, mais elle ne voulait rien entendre et est allée directement dans la chambre.

Quelque chose s'était passé puisque les deux avaient une humeur trop opposée. Charlotte avait eu un après-midi de rêve et avait le cœur à la fête, tandis que visiblement, Anaïs avait passé un mauvais moment et avait juste envie de s'isoler.

J'ai voulu en savoir plus, mais Charlotte chantait du Lady Gaga à tue-tête avec une Chilienne, alors j'ai préféré aller voir Anaïs.

Je l'ai trouvée étendue et pensive.

— Allo... Ça s'est bien passé?

— Je vois que tu ne boites plus.

— J'ai fait semblant de tomber, tu sais bien. Je voulais vous laisser seules avec Stefano.

— J'étais inquiète pour toi.

— Il ne fallait pas. Tu es fatiguée?

— J'ai été nulle. Il ne voudra plus jamais m'embarquer avec lui sur un bateau.

— Comment ça?

— J'ai pas su contrôler le voilier et on a tellement penché qu'il est tombé à l'eau.

— Stefano?

— Oui... Et Charlotte riait comme une sonnette fêlée... et j'étais trop malheureuse.

— Il était fâché, lui?

— Non, il a dit que ça pouvait arriver. Il a été gentil. Mais je sais que j'ai gâché toutes mes chances avec lui. C'est toujours la même chose avec moi de toute façon. Aucun homme intéressant ne va jamais vouloir d'une pauvre vadrouille décomposée.

— Tu es une super fille, Anaïs et je suis certaine qu'un homme va te trouver géniale. T'es pas une vadrouille décomposée, arrête de dire des bêtises.

— Ils sont tous amoureux de toi de toute façon.

— Mais non... voyons.

— Charlotte pense qu'elle a des chances, mais elle est dans le champ, c'est toi qu'il veut... c'est pas nous.

— Mais il sait que j'ai quelqu'un dans ma vie. Il ne va pas s'intéresser à moi.

— Ben, à moi non plus. Tu veux baisser le store? Je vais essayer de me reposer.

Je ne savais pas quoi dire pour la remonter. C'est vrai qu'elle n'avait pas beaucoup de chance en amour, mais elle n'était pas la seule et, franchement, est-ce que c'est la chose la plus importante au monde? On était ici pour apprendre l'anglais, visiter et passer du bon temps entre amies... Et un gars allait venir nous ruiner cette occasion unique?

Pas question !

J'ai rassuré Anaïs, je lui ai dit qu'elle était géniale et jolie et que si Stefano ne se rendait pas compte de la chance qu'il ratait, il n'était pas assez intéressant pour elle. J'ai ajouté qu'on devait tenir les gars loin si on voulait passer un beau séjour.

J'avais réussi à la faire sourire.

— C'est facile pour toi, Savannah, Alex va venir te voir en fin de semaine. Mais moi, personne ne pense à moi.

Elle n'avait pas tort. Je n'avais plus d'arguments, alors je lui ai proposé la seule chose qui me venait en tête.

— Tu veux lire le journal de Fabrice ?

— Oui, bonne idée.

Elle a sauté sur mon lit en attrapant le livre sur la table de nuit au passage et je suis allée la rejoindre.

Elle allait déjà mieux.

Je ne supporte pas que les gens autour de moi soient malheureux.

Chapitre 13

La colère que nous a faite Charlotte en entrant dans la chambre va rester dans les annales, c'est sûr et certain. Elle nous a surprises en pleine lecture et son humeur a changé du tout au tout. Elle criait qu'on l'avait trahie en prenant de l'avance sur elle, c'était interdit, ou quelque chose du genre.

J'ai réussi à la calmer et on a pu continuer à lire à trois.

La tension entre les deux était toujours aussi forte, sinon plus, et Charlotte faisait des blagues sur l'incident du voilier qui auraient pu être drôles si Anaïs n'avait pas été si susceptible.

D'un côté, Anaïs me parlait de notre amitié et des liens qui nous unissaient. Je savais que c'était pour me faire comprendre que je devais rester de son bord. De l'autre, Charlotte me soulignait toutes les erreurs et lacunes d'Anaïs. C'est vrai que mon amie est un peu gaffeuse et parle mal l'anglais, mais c'est une fille vraiment gentille et je trouvais que Charlotte manquait de tact. Mais pas question de montrer mon désaccord, je devais rester neutre, sinon on allait trop souffrir toutes les trois dans la même chambre.

Heureusement, les aventures de Fabrice nous gardaient unies.

On avait appris qu'il s'était intéressé à l'histoire des sorcières de Salem.

« *En 1691, Samuel Parris, le nouveau pasteur, arriva de la Barbade avec deux esclaves qui allaient changer la vie de ce village et le visage de l'Amérique à jamais.* »

Nous n'avions pas vu le temps filer, nous devions aller manger. Les pauvres filles des chambres voisines ne tenaient plus debout. On a enjambé deux corps endormis dans le corridor. Une odeur étrange venait de la chambre dont la porte était entrouverte. C'était un peu le bordel et j'étais contente de m'éloigner.

Nous n'étions pas nombreux à la cafétéria. Mais c'était parfait pour nous, même si la nourriture était ordinaire, le menu abordable nous permettait d'économiser pour nous offrir de meilleurs restaurants et des sorties à d'autres moments.

Anaïs a reçu un texto et son visage s'est éclairé. En fait, son sourire était tellement géant qu'il n'y avait plus de place dans son visage pour le mettre en entier. Je voulais savoir qui lui écrivait, mais elle faisait trop de mystères, elle tentait de cacher quelque chose, mais en même temps, elle jouait tellement gros que c'était évident qu'elle cherchait à nous énerver pour qu'on veuille en savoir plus.

Il me semble que c'est plus simple quand on se dit les choses directement et sans détour, non?

— Anaïs, ne fais pas d'histoires… On le voit dans ta face que tu es trop contente.

— C'est personnel.

— Depuis quand on a des secrets entre nous?

— Mais arrête, tu vois bien qu'elle veut se rendre intéressante. (Décidément, Charlotte était de plus en plus désagréable.)

— Anaïs, s'il te plaît… Une bonne nouvelle?

— Bonnnnnnnnn… OKKKKK… C'est rien, c'est juste Stefano.

— Il t'a écrit?

— Je voudrais bien voir ça, a ricané Charlotte.

— Eh bien, regarde… (*Anaïs a tourné l'écran de son téléphone vers une Charlotte sceptique.*) Alors, tu vois?…

— C'est écrit quoi? j'ai demandé. Je ne peux pas lire, moi!

— Il dit qu'il espère que je ne me sens pas mal, qu'il ne m'en veut pas. Que c'est pas grave. Et il termine en ajoutant: offre-moi un verre et tout sera oublié.

— Il est pire que je croyais, a lancé Charlotte, rouge de colère.

— Comment ça, Charlotte? C'est une super invitation, c'est génial. (*J'étais contente pour Anaïs.*)

Je voulais la calmer, mais elle était déjà trop frustrée.

— C'est un *player*, ou quelque chose du genre. Il doit faire ça à toutes les filles qui passent ici. Un séducteur, avec son truc de Roméo et Juliette…

— Tu es jalouse, alors tu le dénigres! s'est exclamée Anaïs, furieuse.

— Pas du tout, tu es tellement trop naïve.

Là, j'étais un peu d'accord avec Charlotte, mais pas pour les mêmes raisons. Il m'avait parlé d'amour le midi même et, tout à coup, il proposait une sortie à Anaïs. Mais peut-être l'avait-il trouvée charmante cet après-midi et… pour une fois qu'un gars s'intéressait à elle, ça allait lui faire du bien.

— Il n'y a qu'un moyen de le savoir, c'est d'y aller, Anaïs.

— Oui, je vais l'inviter à prendre ce verre…

— Tu n'as pas le droit de boire de l'alcool, lui a rappelé Charlotte.

— Je vais lui offrir un café à la place… et s'il est un coureur, je vais le savoir vite.

Charlotte avait croisé les bras et s'était appuyée sur sa chaise avec un air méprisant que je ne lui aimais pas du tout.

Pourtant, d'habitude, Charlotte était fine et généreuse, je ne comprenais pas ce qui lui arrivait pendant ce voyage.

— Je lui réponds tout de suite... Je lui écris quoi?

— Tu lui dis: d'accord, je t'invite, mais pour un café plutôt.

Charlotte est aussi intervenue.

— Tu marques: «Prends-moi pas pour une idiote, va jouer avec tes petits amis rameurs.»

J'ai fait des gros yeux en direction de Charlotte. Elle exagérait vraiment. Elle s'est levée, puis est partie avec son dessert et son thé.

— Je ne veux pas qu'il sente que je suis inté-ressée. Il vaudrait mieux que j'attende un peu pour envoyer mon message, non?

— Que tu attendes quoi?

— Ben, pour ne pas avoir l'air de réagir trop vite. Genre... collante, dépendante affective qui capote à la première invitation.

— Ce que tu n'es pas... Donc, tu réponds à son message le plus simplement possible.

J'ai laissé Anaïs rougissante à la cafétéria, trop occupée à formuler son texto, et je suis partie à la recherche de Charlotte. Quelque chose n'allait pas et je devais essayer de comprendre quoi exactement.

En marchant, je me disais que je n'avais jamais pensé que les deux filles pourraient ne pas s'entendre. D'un côté, Anaïs était ma meilleure amie, je l'adorais et elle avait accompagné tous les moments importants de ma vie. Nos parents se connaissaient depuis l'adolescence et, du plus loin que je pouvais me souvenir, elle faisait partie de mon univers.

Charlotte, on l'avait connue au secondaire, en préparant la comédie musicale. Elle avait un humour unique, très original et elle m'amusait beaucoup. Elle tournait tout en dérision et sa façon de voir le monde me faisait rire. Comme elle était dans l'équipe de ringuette, on la voyait rarement la fin de semaine, sauf quand on assistait à ses parties, ce qu'Anaïs détestait. J'avoue que je ne m'étais jamais posé la question : Est-ce qu'Anaïs était amie avec Charlotte ? Peut-être pas vraiment.

Ce qui me surprenait le plus, c'était à quel point, depuis quelques jours, Charlotte était différente de la fille que je connaissais.

J'ai fait le tour du collège sans la trouver, alors je suis sortie pour voir si elle était dans le parc. Assise sur un banc, sous un saule pleureur, elle observait des avironneurs à l'entraînement. Elle m'a entendue arriver.

— Je sais ce que tu vas dire, je ne suis pas fine, je m'en suis rendu compte, merci.

Je me suis assise près d'elle et j'ai pris quelques minutes avant de parler. Je ne voulais pas être brutale et l'affronter ne servirait à rien.

— C'est un beau sport, c'est calme et puissant à la fois.

— Stefano dit que l'aviron fait travailler tous les muscles du corps.

Un peu plus loin, une équipe s'arrêtait au bord de l'eau et rentrait ses rames.

— Ça semble intéressant.

— Je préfère la ringuette, mais je vais peut-être penser à faire de l'aviron l'été.

— Tu n'as pas aimé la voile ?

— C'était pas mal. Le paysage était magnifique. J'ai moins apprécié quand Anaïs a pris la barre. J'ai eu peur, j'ai pensé qu'on allait chavirer. J'ai ri, mais en fait, j'ai pas trouvé ça drôle du tout.

— C'est pour ça que tu es fâchée contre elle ?

— Des fois, je trouve lourd de la traîner avec nous. Son anglais est pourri, elle est gaffeuse et elle a failli me noyer. Je peux pas dire que c'est rassurant.

— Il te plaît vraiment, Stefano ? Tu ne peux pas déjà être amoureuse quand même ?

Elle a poussé un long soupir qui en disait beaucoup plus qu'elle ne pensait.

— Il m'a plu tout de suite et tu le sais, Savannah, je ne tombe pas amoureuse facilement.

— Tu as de la peine? Tu en veux à Anaïs?

— Je suis en colère contre lui. Hier, il me disait qu'il avait pensé à moi toute la journée. Il avait hâte qu'on fasse de la voile ensemble. L'après-midi était parfait et, tout à coup, il lui écrit à elle? Je ne vois qu'une chose, c'est une girouette.

— Un séducteur tout simplement. Il aime plaire. Il ne faut pas s'y attacher.

— C'est trop tard.

C'était à mon tour de soupirer.

— Charlotte, j'aimerais bien retrouver mon amie drôle et pleine d'énergie. Si Stefano modifie ton caractère, c'est peut-être parce que c'est pas bon pour toi. Ma mère dit qu'on change de personnalité avec certains amis et que si on n'aime pas ce qu'on devient quand on fréquente quelqu'un, c'est qu'il faut arrêter de le voir. Parfois, des personnes font ressortir ce qu'il y a de plus laid en nous... C'est comme si... c'était chimique ou cosmique, je sais pas trop. Mais si ce que tu deviens, c'est pas ce que tu veux... alors arrête de le voir.

— OK... j'ai compris... Je suis devenue un monstre? En fait, ce type est un virus venu de la planète Vérone et il s'infiltre en nous... Tout doucement, il nous grignote le cerveau... gnak gnak.

— Trop drôle... Voilà... il faut le voir comme un virus. La preuve qu'il en est un... Tu te rends compte que je viens tout juste de citer ma mère? Quelque chose de grave se passe en moi aussi. Danger!

— À l'attaque... (*Elle a ri.*) Bon, je vais m'excuser auprès d'Anaïs. J'ai le cœur brisé, mais virus ou pas... je vais essayer d'être une amie *cool* et même me montrer contente pour elle. Difficile, mais pas impossible... Je cite ma mère, là, grave notre affaire! ^_^ ...

La bonne humeur était revenue. Les tensions n'allaient pas disparaître facilement puisque les sentiments de Charlotte étaient quand même toujours présents, mais au moins, on pourrait en parler plus facilement.

Chapitre 14

Ce soir-là, nous n'étions que Charlotte et moi dans la chambre. Anaïs était partie prendre un café avec le bel Italien qui faisait vibrer son cœur.

Mon téléphone a justement vibré.

Dans la chambre ? Un message texte ? Euhhh, c'était trop pas normal, je n'avais pas de Wi-Fi… C'était Éva ! Je crois qu'il y a entre elle et moi une sorte de ligne spéciale, peut-être via satellite, ou un fil invisible et personnel juste pour nous deux ? Quand je n'avais absolument pas Internet, Éva recevait quand même mes messages, comme lorsqu'on était dans la grotte, Alex et moi, une chance qu'elle avait reçu mon texto cette fois-là !

«Le café OK. Tes parents OK. Alex genre trop K.-O. sans toi, mais survivra. On se voit *soon* A + :-*»

Court message mais tout était là, j'ai voulu lui répondre, mais plus rien ne fonctionnait. C'était quand même *weird,* cette connexion.

Comme Anaïs nous avait interdit, sous peine de représailles méga sérieuses (bof), de lire le journal de Fabrice sans elle, on a plutôt fait un peu de recherche sur la sorcellerie pour préparer notre visite dans deux jours à Salem, parce que la sortie du lendemain, c'était... le Maine et les magasins... *yeah*!!!... Pour cette activité, aucune préparation nécessaire, j'étais la championne toutes catégories.:)))

Le livre était en anglais, mais même si je n'étais arrivée que depuis trois jours, je sentais déjà que la lecture était plus facile.

La Wicca est une religion reconnue, issue de croyances très anciennes. C'est difficile de savoir quand elle a commencé. On en retrouve des signes déjà tout au début de l'Angleterre, de l'Irlande et même de la Gaule... Certains disent qu'elle trouverait sa source en Égypte.

Les Celtes étaient très proches de la nature qui les entourait. Ils avaient des rituels pour le passage des saisons et à l'occasion des pleines lunes... Ils savaient déjà comment fonctionnaient les étoiles et avaient des calendriers très détaillés genre dix mille ans avant notre ère... O-O

Je ne suis pas trop experte en religions. J'ai seulement la base apprise à l'école puisque, chez nous, mes parents ne pratiquaient pas.

Mon père, depuis qu'il sait qu'il a été adopté et connaît ses origines amérindiennes, s'intéresse aux peuples des premières nations et à leur sagesse. J'aimerais en apprendre plus sur mes racines, moi aussi; en attendant, je ne suis pas très calée dans le domaine.

Mais en lisant un peu plus loin, on a découvert que certains adeptes de ce qu'ils appellent aussi l'ancienne religion pouvaient faire de la magie: jeter des sorts et fabriquer des potions plus ou moins médicinales.

@-@

Je n'étais pas certaine qu'après toutes ces lectures, j'allais faire de beaux rêves, parce qu'entre les dieux, les potions et abracadabra, je commençais à me faire des peurs.

J'ai pris mon collier et j'ai pensé à notre sorcier Ramon. Voulait-il nous avertir de quelque chose?

Jeudi

Chapitre 15

Levée à l'heure – bravo, Savannah – et prête pour le cours, que je voulais voir finir le plus tôt possible. L'idée d'aller me promener au bord de la mer et de faire les *outlets* me rendait trop joyeuse. Je chantonnais en faisant mon lit.

Anaïs patinait, plus qu'elle ne marchait, vers les douches et Charlotte me regardait en se demandant ce qui m'arrivait. Je trouvais que notre chambre était un peu n'importe quoi. J'ai sorti un chiffon et j'ai commencé à épousseter.

— Ça va, Sav? Tu as une rage subite de faire le ménage? En plus, tu chantes et tu viens de te réveiller… Le virus fait des dommages?

— Aujourd'hui, c'est… magasins… égale mot magique!

— Ah oui… c'est vrai.

— Et demain, c'est Salem et ensuite, Alexandre arrive pour la fin de semaine. C'est le virus du bonheur qui me fait mousser le cerveau.

Charlotte a esquissé quelques pas de danse pour montrer sa joie et elle est sortie en essayant d'imiter *River Dance* le plus sérieusement du monde. Moi, j'étais pliée en deux et toutes les filles la suivaient des yeux dans le corridor.

J'ai vite attrapé mon cell pour filmer la scène. Mémorable ! Surtout la face des pensionnaires qui tentaient de faire comme si de rien n'était. :))))

Le cours n'en finissait plus. Nous discutions de la Révolution américaine (encore) et de ce que nous avions visité. On a parlé de l'Acte de Québec et le prof nous a raconté que les royalistes anglais sont venus s'installer au Canada puisqu'ils voulaient garder leur allégeance au roi.

Super, mais ce jour-là, je ne pensais pas politique, je rêvais boutiques.

Deux heures plus tard, nous étions dans le minibus qui nous amenait d'abord à Kennebunk. Un petit port charmant où on a visité quelques boutiques amusantes et originales.

Nous avions à peine eu le temps de respirer l'air marin qu'on remontait dans l'autobus, direction : Wells. Une jolie plage familiale avec des maisons longeant la mer.

Arrêt suivant, Ogunquit. Le village était vraiment trop sympathique et on a gambadé sur la rue principale. On s'est arrêtés chez le chocolatier, personne n'a pu résister aux merveilles présentées dans sa vitrine. Certains ont choisi des jujubes multicolores, d'autres ont fait provision de *fudges* et moi, j'ai craqué pour les chocolats maison. Surtout les sandwiches pralinés et les *turtles* aux noix de cajou... Une boîte pour moi, une pour m'man et... une autre pour Alexandre.

La boutique à côté était le paradis de tout ce qu'il fallait pour être propre et belle. L'étalage de savons aux différents parfums nous a enchantées. On a passé de longues minutes à tous les sentir, au point qu'on ne différenciait plus rien. :D

Ensuite, nous avons pris une marche le long de l'océan en suivant le *Marginal Way* et j'ai décidé qu'Alex et moi, nous reviendrions tous les deux ici, c'était tellement trop romantique. Il y avait un hôtel tout blanc avec un grand jardin sur le bord de l'eau, et je me suis dit que c'est là que je l'emmènerais.

L'odeur de la mer embaumait et le soleil caressait le paysage. Il y avait des fleurs colorées et les gens que nous croisions nous saluaient gentiment.

Arrêt pour un brunch à l'américaine au restaurant *Amore breakfast*. Nous nous amusions à regarder tous les objets dans le décor. D'anciens grille-pain, des affiches des années soixante très amusantes, un vieux micro... et Stefano! Qui s'est mis debout devant moi et a demandé à ce qu'on l'invite. Je l'avais presque oublié, mais bon, les filles étaient trop contentes de le voir.

On ne savait rien de la sortie de la veille. Anaïs était restée vague et je pensais que c'était pour ne pas blesser Charlotte. J'attendais que nous soyons seules pour l'interroger. J'essayais de lire dans ses yeux, mais elle avait vraiment l'air comme d'habitude.

Sur le menu, tout était tentant. Mes amies ont pris d'immenses cappuccinos et moi, un énorme chocolat chaud. On voulait goûter à tout. Le parfum des gaufres ouvrait l'appétit et je n'arrivais pas à me décider.

Nous avons donc choisi de partager nos plats. Quand ils sont arrivés, vous auriez dû nous voir, des sauterelles affamées qui se précipitaient sur une pauvre assiette sans défense. Aucune pitié, on n'allait pas en laisser une seule miette. Enfin autre chose que la bouffe de la cafétéria ! Tout était aussi délicieux qu'on pouvait l'espérer. On riait en croisant nos fourchettes et en faisant semblant de nous battre pour la dernière bouchée. Même Stefano était amusant.

En sortant, on était trop pleines, on se demandait comment on allait pouvoir faire les boutiques, on traînait des pieds et on riait de plaisir.

Nous avons repris la route et, prochain arrêt, les magasins de Kittery !!!

J'ai calculé mon budget, pas question de me faire encore prendre à trop dépenser. En France, j'avais tout mis sur ma robe de bal et il ne me restait plus rien pour le reste du voyage. Cette fois, j'allais essayer d'être plus réfléchie... si c'était possible. Surtout qu'une autre visite dans un centre commercial de Boston était à l'horaire la semaine suivante.

Nous galopions d'une boutique à l'autre, nous voulions tout voir. Anaïs se cherchait des souliers alors que Charlotte visitait les magasins de vêtements de sport. Moi, je regardais partout. Je me suis offert des chaussettes avec des chats rigolos, un bikini bleu jean, une jupe, deux chemises et Stefano, galantissime, portait nos sacs.

C'était une vraie belle journée et nous sommes rentrées à Boston épuisées, lessivées, grognantes (encore un mot qui n'existe probablement pas), mais heureuses. On était tellement fatiguées qu'on n'arrivait même plus à articuler.

On a pris un repas léger, parce qu'après le *brunch* qu'on avait eu, on ne pouvait tellement pas imaginer avaler quoi que ce soit. Nous sommes montées dans la chambre (en fait, on s'est hissées, une chance qu'il y avait une rampe) pour continuer notre préparation et la lecture pour le lendemain.

La visite de Salem était certainement le point culminant de notre séjour. Nous étions excitées et inquiètes. Nous n'avions aucune idée de ce que nous allions découvrir, mais on n'hésiterait certainement pas à consulter une voyante.

Ce que nous lisions ne satisfaisait pas notre curiosité; y avait-il encore de véritables sorcières qui pratiquaient? Celles qui chantaient des incantations et qui pouvaient concocter des philtres comme dans *Harry Potter*?

Nous allions aussi apprendre ce qui s'était passé quelques siècles plus tôt avec cette histoire qui avait tellement influencé Fabrice qu'elle avait changé sa vie.

Charlotte lisait à son tour:

«*J'ai alors compris que les gens ont peur de ce qui est différent, de ceux qui ne leur ressemblent pas. Pour commencer, ils tentent de les faire entrer dans une catégorie qu'ils sont capables de reconnaître. Et puis, s'ils ne réussissent pas à les cataloguer, ils les rejettent et les menacent.*»

Nous nous tenions un peu plus serrées que d'habitude. Nous revoyions tous les cas d'intimidation dont on avait entendu parler dans les dernières années. J'aurais aimé connaître Fabrice, qu'il soit un de nos amis. Je lui aurais fait une place, il me semble que j'aurais su l'apprécier.

Anaïs a décidé d'aller à la salle de bains se préparer pour la nuit. J'en ai profité pour la suivre puisque Charlotte révisait un texte pour son cours du lendemain.

Je voulais lui poser des questions sur sa sortie avec Stefano.

— Qu'est-ce que tu veux que je te dise?

— Raconte ce qui s'est passé. Vous avez parlé? Il t'a dit quelque chose? Il a l'air intéressé?

— Oui, oui, non.

— Anaïs, ne m'oblige pas à te sortir l'information par le nombril.

— Oui, on a parlé. Il m'a raconté comment il vivait ici et ce qu'il voulait faire. Oui, il m'a dit quelque chose, puisqu'il m'a détaillé sa vie, presque minute par minute. Non, il n'a pas l'air intéressé. Il a monologué sur sa propre vie. Il n'avait aucun intérêt pour la mienne, ça, je peux te le garantir.

— Pourquoi il t'a invitée alors?

— Pour que je ne me sente pas mal, comme il l'avait écrit. C'est tout. Fallait juste pas que je me fasse des idées.

— Tu es déçue?

— Je le savais… J'intéresse jamais personne.

— Oh, Anaïs, dis pas ça, c'est pas vrai.

— C'était quand même une belle soirée, t'en fais pas.

J'étais un peu triste pour elle. Je savais qu'il lui plaisait et il était temps qu'il lui arrive quelque chose dans sa vie sentimentale. Je l'observais discrètement, elle était jolie et son sourire timide, sa maladresse, ses airs paniqués parce qu'elle se sent souvent dépassée, tout ça était charmant et faisait qu'elle était mon amie.

— Des fois, je me sens un peu comme Fabrice... À ma place nulle part. Je crois que j'aurais dû naître à une autre époque, m'a-t-elle confié.

— On a tous cette impression à un moment ou à un autre, non ?

— Je sais pas pour toi, mais moi, je l'ai tout le temps.

Elle le disait doucement, sans tristesse, comme une vérité toute simple. J'aurais voulu avoir une baguette magique et jeter un sort pour qu'elle soit heureuse. Demain, à Salem, j'allais essayer de lui trouver un porte-bonheur. S'il y a un endroit au monde où on devait en trouver, c'était sûrement là !

Vendredi

Chapitre 16

Enfin, le jour de la visite de Salem était arrivé. Tout à coup, en mangeant ma toast molle et froide, je me suis demandé pourquoi j'avais aussi hâte. J'ai compris que c'était un sujet qui m'avait toujours intéressée. La magie, le surnaturel, les fantômes et ceux qui leur parlent… C'est sûr qu'on est curieux, parce qu'on cherche à savoir si c'est vrai, si c'est possible de parler aux morts. Dans le fond, on serait tellement rassuré si la preuve était faite qu'il y a une vie après. Un paradis d'amour où on retrouverait ceux qu'on a aimés.

En plus, on cherche à connaître le futur. Tout le monde veut savoir ce qui l'attend. Je savais tellement ce qu'Anaïs cherchait à découvrir, l'amouurrr… Mais Charlotte, je n'en avais aucune idée. Nous aurions le temps d'en parler dans l'autobus.

Pendant le cours ce matin-là, pas moyen de me concentrer sur la discussion. Le prof parlait et ça entrait par une oreille et sortait par l'autre, sans avoir même effleuré l'ombre d'un neurone. Vide total dans ma tête, avec une pancarte « à louer ». :D

En même temps, j'étais divisée parce que, si j'avais hâte d'aller dans cet univers de mondes parallèles, j'étais aussi un peu stressée de découvrir l'histoire de ces femmes accusées de sorcellerie. Selon Fabrice, c'était totalement injuste et il s'était beaucoup identifié à cet événement dramatique.

Après le cours, nous nous sommes rejointes à la porte d'entrée et nous avons trouvé l'autobus un peu plus loin. Cette fois, il y avait beaucoup de monde pour la visite. Les gars étaient du voyage et nous remplissions tout l'immense véhicule climatisé.

Nous n'avions trouvé que deux places une à côté de l'autre. J'étais assise avec Anaïs et Charlotte était beaucoup plus en avant. Pour l'instant, il n'y avait qu'un gros sac sur le siège à côté d'elle. Si j'avais été plus attentive, j'aurais sûrement remarqué le chapeau arborant fièrement une tête monstrueuse de canard et j'aurais su tout de suite pourquoi Charlotte avait insisté pour nous laisser ensemble… Mais bon, j'avais rien vu jusqu'à ce que l'Italien arrive à son tour et prenne place à côté de mon amie, trop souriante pour être innocente.

Je regardais le paysage défiler. Je rêvassais un peu en songeant à l'arrivée d'Alexandre quand un texto est entré. C'était lui justement. Nous avions dû faire de la télépathie. Il avait entendu mes pensées, même d'aussi loin…

«Je serai là ce soir. Si tu vois M. Leconte, m'appeler immédiatement. Il y a une enquête. T'expliquerai. Je t'm Alex xoxo.»

J'ai relu le message au moins vingt fois. Qu'est-ce qu'il voulait dire par «il y a une enquête»? Et pourquoi le mot «immédiatement»? Comme s'il y avait un danger tout de suite, maintenant…?

Anaïs m'a demandé ce que j'avais, je n'ai pas voulu l'inquiéter, alors j'ai dit qu'Alexandre avait hâte de me voir, mais tout le reste du trajet, j'ai essayé de déchiffrer le message que je venais de recevoir.

En entrant dans Salem, personne ne parlait, nous regardions les maisons anciennes, les petites rues sinueuses. L'autobus s'est arrêté dans le parking municipal et on nous a divisés en deux groupes. Bien entendu, nous étions avec Stefano. La visite se ferait en deux parties, une l'avant-midi et l'autre en après-midi, la première nous conduirait à la prison où les femmes ont été détenues et au musée. La deuxième serait une visite de la ville et de ses boutiques plus mystérieuses les unes que les autres.

On est entrés dans la prison en frissonnant. Les murs de pierres étaient sombres et humides, les cellules petites, genre tellement minuscules, et une m'a particulièrement touchée. Ils nous ont dit que c'était celle où une grand-mère et sa petite-fille de cinq ans avaient été enfermées. Elle était si étroite que les prisonnières ne pouvaient pas se coucher.

J'ai trouvé horrible qu'on puisse faire subir ça à une personne âgée et à une enfant, sans aucun doute innocentes. Voyons, comme si, à cinq ans, on pouvait vraiment être une sorcière!:x

Ils nous ont raconté toute l'histoire et j'avoue que j'étais très émue.

Les puritains, très stricts face à la religion, vivaient humblement. Leur nouveau pasteur, Samuel Parris, était arrivé avec sa femme et ses filles.

Avec eux, deux esclaves, ce qui était très mal vu par la communauté. C'étaient des Indiens caraïbes, (les résidents des Antilles) ou des Amérindiens d'Amérique, on ne semble pas pouvoir le préciser encore.

L'église se vidait, sans doute que les sermons du nouveau pasteur n'intéressaient pas les habitants. Alors, Parris a affirmé que la communauté était sous l'emprise du diable.

Un jour, une des fillettes de la famille a commencé à avoir des convulsions et puis ensuite, d'autres filles de son âge ont aussi agi de façon très étrange. Selon certaines théories, elles auraient peut-être souffert d'un empoisonnement. Ou bien les histoires du pasteur avaient fini par leur faire peur? En tout cas, elles ont commencé à dire qu'elles étaient ensorcelées et ont accusé Tituba, l'esclave, d'être responsable de leurs malaises.

Elle a été arrêtée. Les gens devaient être contents, puisqu'elle leur faisait peur. Elle pratiquait une autre religion, de quoi faire paniquer les villageois.

Les filles ont raconté que Tituba leur avait fait retirer leurs bonnets et les avait fait danser pieds nus dans l'herbe.

OK, aujourd'hui, personne ne penserait qu'il y a l'ombre d'un problème à retirer ses souliers ou son chapeau. Mettons qu'on ne capoterait pas pour ça. Mais à cette époque, chez ces gens genre méga religieux, c'était une catastrophe nationale. L'esclave a reconnu les faits. La pauvre, tout ce qu'elle voulait, c'était probablement permettre aux jeunes filles de vivre un peu, de prendre du soleil et de ne plus être prisonnières de vêtements trop sévères. En plus, ses traditions devaient ressembler un peu à de la sorcellerie.

Mais après, la folie s'est emparée de toute la ville. Les filles accusaient une femme et une autre… On dénonçait son voisin. Tout semblait louche aux yeux de chacun.

Il faut dire que la loi de l'époque stipulait que si quelqu'un était accusé de sorcellerie, il n'y avait que deux options possibles : il avouait et était relâché, mais perdait ses terres et tous ses biens, ou alors il n'avouait pas et était condamné à mort.

Un rien extrême, il me semble ? Stefano était bien d'accord avec moi.

Imaginez les gens qui se disaient: ah ah, si mon voisin perd ses terres, moi je les rachète et hop je m'agrandis, vite je le dénonce… N'importe quoi.

Au début, c'était les femmes différentes qui étaient accusées. Celles qui vivaient seules, comme cette vieille grand-mère qui élevait sa petite-fille.

Fabrice avait tellement raison. Quand on a peur, ce sont les gens différents qu'on accuse en premier.

Dans le cas de ce jeune Français, c'est sans doute qu'il était *gay*, quoique dans son livre, il écrit (là où on est rendues dans la lecture) qu'il ne le sait pas encore, mais que c'est une possibilité. Des traits plus délicats et des réactions moins masculines ont poussé les autres gars à le rejeter.

Tituba chantait, dansait et il paraît qu'elle aurait même tiré les cartes aux jeunes filles. Je suis certaine que je l'aurais aimée, moi, mais eux, ils l'ont probablement détestée.

Heureusement que le juge a été démis de ses fonctions et qu'ils ont tout arrêté. Mais bon, c'était quand même un peu tard.

Toute cette histoire n'a duré que quelques mois, mais plusieurs personnes ont été pendues. Un homme a subi la peine «lourde et dure», c'est-à-dire qu'ils ont empilé des pierres sur lui, jusqu'à ce qu'il meure étouffé… Quelle fin horrible!!! Il refusait d'avouer sa culpabilité. Ses enfants ont pu garder leurs biens, mais lui a dû donner sa vie.

Vingt et une victimes innocentes ont été exécutées.

Cinq personnes sont mortes en prison (après avoir vu les cellules, je comprends!).

Heureusement, la leçon a servi et on ne peut plus accuser quelqu'un de sorcellerie.

J'avais de la peine pour toutes ces personnes victimes d'une folie incontrôlable. On a visité le monument dédié à leur mémoire et on gardait le silence en retenant notre émotion. De voir les noms de ces gens traités aussi injustement gravés dans la pierre, ça nous laissait sans voix.

Tituba a préféré avouer sa culpabilité. Ainsi, elle a évité la pendaison. On ne sait pas ce qui lui est arrivé par la suite.

Qu'est-ce qui s'est passé exactement? Les fillettes ont-elles eu peur du diable dont parlait le pasteur? Ont-elles été victimes d'un empoisonnement? Ou, tout simplement, ont-elles souhaité s'amuser un peu?

Toutes ces hypothèses sont retenues pour l'instant par les spécialistes.

Chapitre 17

Nous sommes allées manger dans un restaurant sympathique près du centre de la vieille ville. Nous ne parlions pas beaucoup, trop d'idées et de souvenirs nous hantaient encore. J'observais les gens autour de moi. Il y avait deux dames assises, qui portaient de grands chapeaux et des robes fleuries, des sorcières peut-être? Un monsieur m'a regardée et m'a souri, j'avais l'impression qu'il me connaissait, je n'ai pu faire autrement que de lui répondre de la même façon, alors il m'a fait un petit signe de la main. Je ne savais pas quoi répondre, j'ai hoché la tête.

En croisant les gens dans la rue, j'ai remarqué que plusieurs regardaient mon collier; je l'avais oublié. Ils me souriaient comme si nous étions amis. Sensation étrange! J'avais peut-être de la laitue entre les dents... Non. J'avais un bouton détaché et on voyait mon soutien-gorge? Non plus. Je n'avais pas de tache, pas de trou, pas de ketchup sur le menton... Ils me regardaient de cette façon pour rien? Ô-o

Nous nous sommes séparées du groupe. Les filles auraient voulu rester avec Stefano, mais je leur ai fait comprendre qu'il nous empêcherait de consulter un voyant, siiiiii on en trouvait un.

Elles ont compris, nous avons donc pris note du lieu de rendez-vous et nous voilà parties pour deux heures de boutiques et de questions sur les produits, herbes, signes et autres merveilles ésotériques.

Les rues étaient vraiment jolies et si, au début, on hésitait à entrer dans les magasins plus mystérieux, très vite, on a réalisé qu'on était les bienvenues partout. On nous recevait avec un grand sourire et on répondait à toutes nos questions.

Il y avait des baguettes magiques, des vraies, des fausses. En général, elles servaient à canaliser l'énergie. «Ahhhhh bon...» Je répondais toujours la même chose... En anglais, ça donnait plutôt «*ohhhh, I see*». Il y avait les jeux de cartes pour la divination, les pendules... et partout mon pentacle, celui que je portais au cou. Un très important symbole de protection, me disait-on.

Nous sommes entrées dans une petite boutique, sombre et chaleureuse à la fois. Il y avait des herbes, ça sentait bon l'encens et un homme grand aux cheveux gris et à la barbe frisottée siégeait dans un imposant fauteuil à côté d'une petite table. Une affiche annonçait qu'il était médium. Il a regardé mon collier et m'a demandé si ce n'était pas un bijou sacré du Mage Kilian. Je ne savais pas quoi répondre, sinon que c'était un cadeau d'un certain Ramon. Il semblait le connaître et a confirmé qu'il devait avoir été chargé par le grand sorcier.

Chargé? Ça voulait dire quoi? Il nous a expliqué que le grand sorcier transférait son énergie dans l'objet. Il le rendait très puissant et ses bijoux étaient les plus recherchés par les connaisseurs.

Je lui ai demandé contre quoi il devait me protéger. Le vieil homme a tout simplement pris mon collier dans sa main gauche et il a fermé les yeux. Après quelques secondes, il a affirmé: «Il te servira, quand tu en auras besoin.» Je restais sur ma faim et j'ai trop dû faire une face de laitue congelée, parce qu'il a ri et a ajouté: «Tu vas vivre de grandes aventures. Il va t'aider à dévoiler des secrets et à voir ce que l'œil ne voit pas. Ne l'enlève pas et ne laisse personne te le prendre.»

C'était encore plus mystérieux, ça ne me semblait pas clair du tout. J'ai pas osé insister. Mais franchement, vous y comprenez quelque chose, vous? Moi, je pataugeais dans une poutine toute garnie.

Il a regardé Anaïs qui tenait une petite bouteille dans les airs pour observer l'étiquette. Il lui a lancé: «Elle est protégée, ça ne te servira pas. Il faut accepter et attendre ton tour.» Elle a déposé la bouteille comme si l'homme avait lu dans ses pensées et qu'elle en était vraiment trop gênée.

Je n'ai pas résisté à une bague en argent ciselé. J'ai voulu en savoir plus sur la signification des symboles de l'anneau, mais l'homme était parti sans bruit. Une jeune fille est sortie de l'arrière-boutique et nous a demandé si elle pouvait nous aider. Mais le charme était rompu et nous avons payé nos achats avant de sortir. J'avais acheté un bijou et une petite gargouille pour mettre sur le balcon de mon père. Les autres avaient des cartes de tarot.

Je réfléchissais à ce que l'homme m'avait dit. «Voir ce que l'œil ne voit pas»… Est-ce que j'avais bien traduit? J'ai vérifié avec Charlotte qui m'a suggéré qu'il parlait peut-être du cœur des gens, ou de secrets difficiles à découvrir.

Anaïs a renchéri en s'amusant: «Tu vas peut-être te mettre à voir les gens tout nus?»

Tant que c'est pas des fantômes, ça devrait aller. :)

Parce que si je suis curieuse de nature, il y a une chose qui me ferait vraiment capoter: c'est si je voyais ou je sentais les morts. Je frissonnais encore à cette pensée quand nous sommes entrées dans une boutique de vêtements neufs mais de style ancien.

Magnifique! On aurait dit des costumes de théâtre. Des chemises aux manches bouffantes, des corsets de soie, des robes de style Renaissance… Et des capes pour les rituels dont on voyait les photos sur le mur. Elles étaient en velours et de toutes les couleurs. Je les trouvais superbes, mais je ne voyais pas quand j'aurais pu porter ce type de vêtements.

Des fois, j'aimerais que la mode soit plus audacieuse et qu'elle nous permette des styles plus anciens. Je rêve de pouvoir porter des vêtements Renaissance. Bon, pas les corsets avec des baleines super serrés qui faisaient étouffer les pauvres femmes, non… mais comme ceux-ci, seulement lacés et ajustés. Des tissus brillants, de la dentelle, des jupes longues avec des volants… J'aimerais qu'on puisse être plus extravagant.

Mais bon, même si on peut bien s'habiller comme on veut, je n'oserais pas les porter, il faudrait que les autres le fassent aussi… Dommage. Peut-être que je suis un peu comme Anaïs et que j'aurais aimé vivre à une autre époque.

Justement, où était-elle passée? Elle nous a fait signe de loin, elle entrait dans une boutique, pendant que, Charlotte et moi, nous mangions une crème glacée, assises sur un banc.

— Stefano n'est pas intéressé par Anaïs, il me l'a dit. Il ne voulait pas qu'elle s'en fasse à cause de lui. Mais il a été clair avec elle.

— C'est lui qui te l'a dit?

— Oui, dans l'autobus ce matin.

— Et tu le crois?

— Pourquoi pas ? Je ne devrais pas ?

— Non, c'est qu'il semble un peu coureur, c'est toi qui l'as dit.

— Il s'est expliqué… et je pense que c'est tout simplement qu'il est gentil, même trop peut-être. Il ne voulait pas qu'elle ait de la peine à cause de lui, tu comprends ?

— Mais il lui a fait de la peine, puisqu'elle s'est imaginé des choses.

— Ah ben ça, c'est pas de la faute de Stefano quand même.

— Non, non… il s'intéresserait à toi ?

— Je pense que oui. Il ne le dit pas aussi clairement, mais il y a des choses qui ne trompent pas. Sa façon de me regarder. Il est prévenant et toujours adorable.

— Tant mieux… Si ça te rend heureuse, je suis contente.

— Mais pour Anaïs ?

— Elle s'en doute déjà, je pense.

Anaïs sortait avec un petit sac. On est reparties vers le lieu de rencontre, deux heures, c'est tellement vite passé quand on est aussi intéressées.

Cette fois, nous avions trois places ensemble, mais on ne parlait pas. Chacune avait ses souvenirs de la journée en tête et nous avions besoin de temps pour repenser à tout ce que nous avions découvert.

Arrivées au collège, nous avons pris nos sacs. Anaïs et moi, nous sommes entrées pendant que Charlotte parlait à Stefano qui nous envoyait la main.

Dès le corridor, on a compris que quelque chose clochait. Notre porte était légèrement ouverte. Je l'ai poussée d'un coup et j'ai vu que tout était à l'envers. Les matelas retournés, les tiroirs tirés et vidés sur le plancher. Les vêtements faisaient une montagne dans un coin de la pièce. Nous avions été victimes d'un vol.

Charlotte est arrivée à son tour. Furieuse, elle nous a demandé :

— Qui a oublié de fermer la porte ?

— C'est toi la dernière à être sortie, Charlotte.

— C'est vrai... Tu as oublié de barrer ?

— Non... Je m'en souviens très bien, j'ai vérifié deux fois qu'elle était verrouillée comme il faut.

Chapitre 18

Premier constat, si nos pendentifs devaient nous protéger de quelque chose, c'était certainement pas du vol. La surveillante de la résidence était très étonnée d'apprendre que nous avions été cambriolées. Elle avait fait sa tournée à plusieurs reprises et n'avait rien remarqué d'anormal. Elle a fait une demande à la sécurité pour avoir la vidéo de la journée.

Qui pouvait avoir fait le coup? Nous n'avions rien de précieux. D'ailleurs, il ou elle n'avait rien trouvé, puisque, après vérification, rien ne manquait. C'était d'autant plus étrange que la personne avait vraiment cherché partout. À moins que quelqu'un ait seulement voulu nous embêter en nous obligeant à faire le ménage? J'ai imaginé une fille jalouse de voir Stefano s'intéresser de trop près à notre groupe. Mais je ne voyais pas qui pour l'instant.

Les Russes étaient rentrées chez elles. Après la découverte de leur *party*, l'alcool étant formellement interdit dans les chambres, la direction avait sévi et elles étaient parties.

Il restait les Suédoises, pourtant calmes, et les Chiliennes, toujours adorables.

Peut-être qu'un des gars avait réussi à se glisser jusqu'ici sans être vu?

Des questions, mais aucune réponse.

L'expérience était déprimante. Quand on est victime d'un cambriolage, c'est vraiment très désagréable. On avait l'impression d'être salies. On ne se sentait plus en sécurité et on aurait dit que notre intimité avait été brisée.

On regardait tout le monde avec méfiance et notre insouciance perdue nous manquait déjà.

Nous terminions la lecture d'un chapitre du journal de Fabrice. Il racontait la violence dont il avait été victime. Il avait été battu dans les toilettes et n'avait pas osé porter plainte par peur des représailles. Il expliquait que les bourreaux créent une relation intense où la peur est la principale ennemie. Plus il était victime, plus il était effrayé, moins il se défendait. Alors qu'il aurait fallu parler aux membres de la direction immédiatement. Mais auraient-ils pu l'aider? Peut-être pas à l'époque, pauvre Fabrice, mais aujourd'hui, il serait écouté et entendu.

Nous nous sommes mises à en discuter.

Aujourd'hui, les gens sont plus conscients des dangers de l'intimidation. Les autorités en ont pris connaissance et, enfin, il y a des ressources. On dirait que pour certains, les caractéristiques du tempérament féminin sont insupportables, comme si pleurer ou être émotif étaient des défauts méprisables. Voyons ? :(

Nous nous sommes souvenues qu'en première secondaire, il y avait un petit groupe de gars, ils étaient peut-être trois ou quatre, à jouer les méchants. Ils s'étaient agglutinés autour d'une sorte de pauvre moule qui fumait la cigarette et jouait les durs. Il trouvait le moyen de faire peur aux autres garçons.

Heureusement, quand on vieillit la situation change. Trois ans plus tard, il n'avait pas beaucoup grandi (effet de la cigarette qu'il pensait tellement *cool*). Son heure de gloire était passée et il patinait pour arriver à reprendre son retard dans ses études.

Toutes les trois, on cherchait à comprendre pourquoi les traits de caractère féminins étaient si méprisables aux yeux de certains. Ceux qui rient des gars qui pleurent, ne rient-ils pas des femmes en général ? Quand ils s'attaquent à un *gay*, ne s'attaquent-ils pas à tous ?

Anaïs a affirmé que les vrais hommes n'ont pas besoin de rabaisser qui que ce soit. On s'est mises d'accord pour ne jamais rire d'une blague homophobe et plutôt s'indigner de ce genre d'humour.

Je n'avais pas vu le temps passer et je devais me dépêcher pour rejoindre Alexandre au terminus d'autobus. Je laissais Charlotte et Anaïs seules, ce qui m'inquiétait un peu. J'avoue que depuis quelque temps, elles ne semblaient pas les meilleures amies du monde.

Anaïs avait cet air mystérieux que je lui connais bien et qui annonce un mauvais coup. Quelque chose m'inquiétait, mais je n'arrivais pas à savoir quoi. Je devrais toujours me fier à mon instinct.

Chapitre 19

Je suis arrivée à mon rendez-vous un peu échevelée, j'avais eu de la difficulté à trouver le quai de son autobus. Il était là, tranquille, du haut de son mètre quatre-vingt-dix et mon cœur s'est mis à sauter dans ma poitrine comme s'il voulait en sortir pour sauter jusqu'à lui. J'ai couru dans ses bras et je l'ai presque fait tomber. Il a ri et nous nous sommes embrassés sans penser aux gens qui nous regardaient. Je m'étais ennuyée, seulement une semaine et j'étais dans un état de manque horrible… J'ai pensé comme son absence serait difficile à supporter s'il devait partir en France pour plusieurs mois.

La visite de Salem m'avait complètement fait oublier son texto. Je n'avais qu'une envie, trouver un coin tranquille pour le regarder et le toucher et l'embrasser et… Il m'a remis les pieds sur terre.

— Savannah, tu as revu monsieur Leconte ?

— Qui ? Ah oui, Leconte. Non. J'avais oublié.

— Bon, excellent.

— C'est quoi, tous ces mystères ? Il ne travaille plus pour ton père, pourquoi je devrais m'inquiéter ?

— Eh bien, il semble qu'il ne s'appelle pas vraiment Leconte, qu'il ne soit pas tout à fait anthropologue… Enfin, il n'était pas qui il disait être. Ils ont découvert que ses papiers étaient des faux. En fait, ils ne savent pas du tout qui il est.

— Attends, je ne comprends pas bien. Il s'appelle comment alors ?

— C'est ce qu'ils tentent de découvrir. Tu sais, c'est un milieu où certains personnages étranges s'infiltrent de temps en temps.

— Explication, s'il te plaît.

— Il pourrait travailler pour l'équipe d'un autre pays qui cherche à trouver des informations sur ce que mon père étudie. Ou bien, il espionne pour un groupe de chercheurs… Ou il cherche lui-même un trésor ou…

— Donc, le bon et gentil monsieur Leconte qui m'a sauvé la vie et sur qui je m'étais trompée… ne serait pas une si bonne personne finalement ? Il nous suivait en France ? Il voulait… le codex… ou autre chose ? Réponds, parce que je commence à me faire des scénarios dans ma tête et je vais bientôt me mettre à crier.

— (*Il a éclaté de rire.*) Mais non, Savannah. Ne t'en fais pas.

Il m'a prise dans ses bras et je me sentais en sécurité contre sa poitrine. De toute façon, franchement, entre vous et moi, qu'est-ce qu'il pourrait me vouloir, cet homme? Rien.

C'était monsieur Préfontaine qui devait s'inquiéter. Lui avait-il volé quelque chose? Si oui, quoi?

Le téléphone d'Alexandre a sonné, étrangement, c'était la *Marche nuptiale* qui jouait. Il m'a dit que c'était sa petite sœur qui avait changé sa sonnerie, pour lui faire une blague, quand elle avait su qu'il venait me rejoindre. Je ne la connaissais pas, mais je l'aimais déjà, cette petite sœur au sens de l'humour indéniable. Il lui a répondu qu'il était bien arrivé et que tout allait bien.

J'ai mis derrière moi le vol, les amies en crise, le guide à tête de canard. Rien ne viendrait gâcher ces deux jours avec mon amoureux. Je l'ai accompagné chez des amis de ses parents, qui avaient une jolie maison dans un quartier tranquille de Boston. De là, nous sommes partis à la recherche d'une terrasse sympathique, ce qu'on a trouvé rapidement. On était sur le bord de l'eau et j'avais tellement de choses à raconter à Alex que je ne savais plus par quoi commencer.

Je voulais tout lui dire, la visite de Salem, le journal de Fabrice, les pierres offertes par Ramon. Je parlais vite et il essayait de me suivre.

— Salem, j'aimerais bien visiter cette ville. Tu crois qu'on peut y aller à partir d'ici?

— Je ne sais pas, il faudrait peut-être trouver un moyen de transport...

— Je pourrais emprunter la voiture des amis de mon père. Ils me l'ont proposé. Tu as ton GPS dans ton cell?

— Bonne idée et on pourrait essayer de retrouver le médium. Je ne sais pas pourquoi je ne pose pas les questions quand c'est le temps. Là, j'en ai plein qui me viennent. Est-ce que tu vas trouver un cours à Montréal ou tu vas devoir repartir? Combien d'enfants je vais avoir? Je devrais faire quoi comme métier? Serai-je connue un jour?

— (Il m'a caressé la joue doucement.) Je t'aime.

— Moi aussi.

— Tu as vu mon collier?

— Oui, c'est un pentacle et une pierre de lune. C'est très ancien comme symbole. Si tu le retournes à l'envers, c'est le signe de Satan, le grand cornu. Magie noire... maléfice.

— Il est à l'endroit, le mien? (*J'étais inquiète tout à coup.*)

— Oui. Tu sais, ce sont d'anciennes croyances. Ça remonte à très loin.

— J'ai lu que ça venait peut-être même d'Égypte.

— Oui, beaucoup de symboles viennent de l'époque des pharaons. Certains signes, comme le poisson chez les chrétiens, viennent en fait de ce temps-là. Il représentait la résurrection et on le trouve dans les pyramides. Quand nous étions en France, tu te souviens que les Templiers adoraient une femme, Isis?

— Non, je ne m'en souviens pas. Isis, c'est pas une déesse?

— Oui, justement. Dans l'antique Égypte, il y avait le dieu Osiris et sa sœur Isis qui représentait la féminité, la fécondité... La terre fertile et la mère. Je me demande si ta pierre de lune ne la représente pas un peu.

— Je ne crois en rien, moi.

— Mais si, puisque tu crois que ton pendentif doit être à l'endroit et que tu penses que ton médium a vu des choses qui allaient arriver.

— Et si c'était dans la capacité de l'humain de voir l'avenir tout simplement? Une partie de notre cerveau qui ne serait pas encore développée? Il paraît qu'on n'en utilise que 10 % pour l'instant.

— Possible...

— ... Dis, Alexandre... Si tu veux aller à Salem, c'est que par curiosité, tu ne cherches rien de précis?

— Eh bien... puisque tu en parles... (*Il a éclaté de rire, de ce rire clair et joyeux que j'aimais tant...*) Je veux photographier les symboles sur certains édifices. Je veux trouver la trace des francs-maçons qui ont été importants lors de la Révolution américaine.

— J'aurais dû m'en douter. Tu n'es pas venu seulement pour moi. (*Je n'étais pas fâchée, je savais qu'il avait besoin de toujours chercher quelque chose.*)

— Tu es la raison principale de ma visite… mais puisque je suis ici…

C'est fou comme je l'aime, cet Alexandre Préfontaine.

— Alex… Tu dois bien avoir une idée de ce que cherche le faux monsieur Leconte.

— Je pense qu'il cherche un trésor et que le codex de mon père pourrait lui donner la clé dont il a besoin.

— Il est sur les traces des Templiers ?

— Oh, ça… Je sais pas, il pourrait aussi bien tenter de découvrir la fortune des Wisigoths, ou le trésor de Blanche de Castille ou même celui des Cathares.

— Les quoi ?

— Les Cathares. C'était la religion populaire dans le sud de la France au Moyen Âge. Ils ont été persécutés et éliminés.

— Eux aussi ?

— Oui. En effet, eux aussi. Ils étaient très présents dans le secteur de Carcassonne et de Toulouse.

— Ils avaient un trésor caché ?!?

— Ils avaient des châteaux incroyables. Celui de Montségur, entre autres, était juché sur un piton montagneux, hyper haut. Tu iras voir sur Internet, c'est étonnant. L'Église les a persécutés...

— Mais pourquoi ? Ils étaient trop riches ?

— Ils pensaient que nous vivions en enfer, dans une prison qui était notre corps et qu'un jour, l'âme purifiée pourrait enfin aller au paradis où tout serait merveilleux. Ils avaient un très grand respect pour la nature et étaient végétariens, ils refusaient de tuer un animal. Je t'ai fait un résumé rapide.

— OK, et c'est quoi le trésor là-dedans ?

— Tout n'est que légende et suppositions, mais on dit qu'ils auraient eu le Graal. Sans préciser ce que c'est exactement. Une coupe magique ? Un moyen de changer le métal en or ou bien quelque chose qui donne la vie éternelle ? Personne ne sait vraiment. C'est vrai en plus qu'ils étaient riches eux aussi. On dit qu'avant de se rendre, quatre individus auraient réussi à quitter le château en cachette en emportant un trésor précieux.

— Je vois... Nous avons donc affaire à plusieurs trésors possibles... Tu ne m'avais pas tout dit.

— Si je te disais tout, tu t'y perdrais un peu.

— On ne sait pas ce que ce faux assistant désire trouver ?

—Non, mais bon, ce n'est pas le premier à espionner et ce qui compte, c'est que... (*Il a eu tout à coup le visage illuminé du gars trop fier de lui...*) j'ai le codex.

—Tu as quoi?

—Le codex. Mon père m'a laissé la copie qu'on a faite. Comme les documents sont numérotés et très sécurisés, c'est une chance incroyable. Il a voulu nous remercier pour la découverte de la grotte.

—Ouais, surtout de lui avoir laissé tous les honneurs à lui.

—Ça ne change pas grand-chose pour nous. Lui, ça fait avancer sa recherche.

—C'est vrai. Et moi, je t'ai apporté un livre des ombres très spécial que j'ai découvert... J'ai besoin de ton avis.

Samedi

Chapitre 20

Après avoir lu une partie du journal de Fabrice, Alexandre a pris en note des lieux et en particulier une adresse à Salem où le jeune homme disait avoir rencontré des gens qui l'ont initié à la magie. Il n'en fallait pas plus pour attiser sa curiosité, tout ce qui est caché ou secret attire Alex comme un aimant.

Nous avons passé l'avant-midi à visiter la ville de Boston. Je répétais à Alexandre tout ce que j'avais appris et j'en ai profité pour lui parler de Stefano.

Alex m'a expliqué que les Italiens sont souvent des séducteurs, c'est dans leur nature. Ce n'est pas méchant, il faut savoir dire non, si on n'est pas intéressé.

C'est vrai que d'un pays à l'autre, les traditions sont différentes. Mais alors, Stefano était-il intéressé par une d'entre nous, ou pas? Il voulait peut-être juste rendre le voyage de tout le monde agréable.

Le temps passait trop vite et nous avons pris la route à bord de la vieille voiture décapotable des années quatre-vingts, prêtée par les amis des parents d'Alex. L'air sentait le sel et le vent était doux. Mes cheveux volaient au vent et on avait mis la radio à tue-tête pour chanter. Je me sentais bien et Alexandre avait mis ses lunettes pour bien voir la route.

En entrant dans la ville, Alexandre m'expliquait que les catholiques avaient rêvé de construire une société parfaite sur les nouvelles terres qu'ils venaient de découvrir. Même que François 1er exigeait des papiers signés assurant qu'une personne était une bonne catholique pratiquante avant de l'autoriser à venir en Amérique. Ils imaginaient un lieu où il n'y aurait plus tous les conflits religieux qui pourrissaient la vie en Europe.

Les protestants s'en sont rendu compte et hop, l'Angleterre a envoyé du monde pour empêcher ce rêve de se réaliser. C'est drôle parce qu'aujourd'hui, il y a vraiment toutes les religions en Amérique. On est loin du rêve du roi de France.

Nous nous sommes arrêtés devant un édifice ancien et c'est vrai qu'il y avait beaucoup de symboles inscrits autour de la corniche. Je ne les avais pas vus en passant la première fois. Alex voyait toujours les choses sous un angle différent. Il me montrait les signes tracés dans la pierre et il prenait des photos.

Il est entré dans une librairie et a acheté deux livres sur les symboles akashiques anciens et la construction sacrée. Le genre de lecture qui me ferait dormir en moins de temps qu'il faut pour dire «abracadabra».

Nous nous sommes arrêtés devant une boutique ésotérique particulièrement étrange. C'était l'adresse du livre de Fabrice. Alex a pris des photos de la façade et une femme a frappé dans la vitre pour nous demander de partir. Elle n'était pas contente et je voulais m'en aller au plus vite, mais Alex a voulu faire le tour de la maison, il semblait vraiment trop intéressé.

— Alex, je pensais que tu voulais des informations sur la franc-maçonnerie. Ici, c'est des Wiccas. Et si la femme ne veut pas qu'on reste... allons-nous-en.

— Je pense que la symbolique est vraiment surprenante. On est devant un temple d'un mythe très ancien.

— Elle ne veut pas que tu photographies sa boutique. Viens-t'en...

— Deux toutes petites minutes. Ici, c'est du sérieux. C'est pas de la magie pour touristes.

C'est là que j'aurais dû insister pour partir, mais Alexandre était concentré et j'osais pas être désagréable. Deux minutes, c'était rien après tout, je pouvais bien attendre.

Il m'a poussée derrière un muret et m'a fait signe de me taire. La porte arrière s'ouvrait. La dame de la fenêtre regardait partout pour s'assurer qu'il n'y avait personne. Elle a paru satisfaite et est retournée chercher une sorte de bagage en osier, une grande malle. Elle est allée jusqu'à son vieux camion cabossé et est montée à bord.

Alex m'a dit de me dépêcher, il voulait la suivre. Je n'arrivais pas à parler, on était déjà à la course vers notre voiture. On est vite partis pour ne pas perdre la trace de la dame. Je posais des questions, mais c'était inutile, Alexandre ne me répondait rien, vraiment, sinon qu'il voulait voir, qu'il se demandait si… On ne resterait que cinq minutes… Il ne finissait pas ses phrases.

Et voilà… c'est comme ça que nous avons arrêté la voiture à l'entrée de la forêt, derrière une grange abandonnée. Nous avons suivi une inconnue qui s'enfonçait dans la nuit. La pleine lune était gigantesque et encore très basse à l'horizon. Je tenais la main de mon amoureux et je me retrouvais encore en plein cœur d'une aventure.

Quand la femme s'est arrêtée dans une clairière, il y avait déjà une dizaine de personnes qui l'attendaient. Elle les a saluées, embrassées et elle a déposé son coffre sur le sol.

Alex m'a fait accroupir derrière un buisson et lui, il s'est placé derrière moi. Il murmurait dans le creux de mon oreille pour me décrire ce qui se passait devant nos yeux.

—Je pense que c'est une cérémonie. Sans doute très ancienne. C'est une sorcière, une prêtresse.

D'autres personnes sont arrivées pour rejoindre le groupe.

— C'est un *coven* de treize personnes. Un groupe de praticiens de l'ancienne religion.

Une fois prêts, ils ont commencé à installer des objets tout en prononçant des phrases qu'on ne comprenait pas.

— Ils préparent un cercle magique. Ils vont demander la protection des gardiens des quatre éléments. Ils mettent du sel au nord, l'élément terre… À l'est, l'air, au sud, le feu, tu vois, ils allument une bougie. Finalement l'eau, à l'ouest.

Je n'osais pas parler, trop consciente que j'assistais à une cérémonie où je n'avais pas été invitée. C'était même un peu gênant.

Un drôle de vieux balai traînait au centre du cercle, Alex m'a expliqué dans un souffle qu'il servirait à ouvrir le cercle à la fin du rituel.

Ils parlaient chacun à leur tour et chantaient un peu. Nous ne bougions pas. Alexandre était trop impressionné, je sentais son cœur battre très vite. Moi, je m'interrogeais sérieusement sur ce que je faisais là. Encore une fois, j'étais pas où je voulais être et je ne souhaitais qu'une chose, partir au plus vite.

Je me suis demandé si je devais avertir quelqu'un de l'endroit où nous étions. Je voulais téléphoner pour qu'on vienne me sortir de là, mais c'était totalement inutile. Je ne pouvais qu'attendre que la cérémonie soit terminée.

Ils se sont déshabillés, comme si un signal avait été lancé par leur prêtresse. Ils ont laissé leurs vêtements à leurs pieds et la femme a revêtu une cape de velours rouge foncé qui brillait sous les rayons de la pleine lune.

J'avais peur qu'ils se mettent à faire des trucs du style : orgie sexuelle ou je ne sais pas trop quoi du genre. J'étais pas du tout à l'aise avec leur nudité. Je ne voulais plus rien voir. J'ai fermé les yeux.

C'est là… que le cellulaire d'Alexandre a joué la *Marche nuptiale*, interrompant la cérémonie et annonçant à tous notre présence. Bravooooooooo. -_-

Je voulais m'évanouir, je paniquais vraiment. Il m'a dit de courir jusqu'à la voiture, ce qu'on a fait.

Le groupe a aussitôt commencé à nous poursuivre. Ils n'allaient pas très vite, mais ils criaient et semblaient vraiment agressifs.

Ils se sont rapprochés et j'ai hurlé. Nous avons rejoint la voiture et, vive les décapotables, nous avons sauté par-dessus la portière. L'adrénaline me donnait des ailes, j'avais eu l'impression de voler et, enfin, j'étais assise sur mon siège. Je crois que je criais encore. Sans doute quelque chose du genre : Viteeeeee.

Nous avons démarré au moment où ils touchaient presque la voiture. Nous avons même un peu dérapé et là, après quelques mètres, Alexandre a freiné d'un coup sec. Un homme grand et puissant se tenait debout devant nous sur la route qu'il nous bloquait. Il avait un bâton levé et je l'ai reconnu, c'était le médium de la boutique. Mais ici, en pleine nuit, il me semblait vraiment beaucoup plus inquiétant et moins sympathique.

Ami ou ennemi? Je ne le savais pas encore.

Chapitre 21

Quand les premières personnes du groupe nous ont rejoints, l'impressionnant personnage a levé son bâton dans les airs, pour leur faire signe d'attendre. Nous étions encerclés et je tremblais un peu. L'autorité du médium était évidente, nos poursuivants ne bougeaient plus.

Il nous a demandé ce que nous faisions là. La prêtresse lui a dit qu'elle nous avait vus prendre des photos de sa maison. La conversation se déroulait très rapidement et je tentais de suivre. Elle était certaine que nous l'avions suivie pour faire un reportage, ou bien que nous allions vendre les photos prises pendant la cérémonie. Les gens autour de moi ont manifesté leur colère. J'aurais voulu disparaître dans mon siège.

Le sorcier s'est adressé à moi très doucement :

—Jeune fille, que cherches-tu ici ?

— Nous... nous avons suivi la femme... parce que... je ne sais pas.

J'ai regardé Alexandre, paniquée. Je ne savais pas quoi dire.

— Vous avez pris des photos de la cérémonie?

— Non… Aucune photo. Nous ne voulions pas causer de problème. On ne dira rien à personne, c'est promis.

— C'est de ma faute, monsieur, a annoncé Alexandre, en descendant de la voiture. Elle n'y est pour rien. J'ai vu les symboles akashiques sur la maison et j'ai voulu savoir qui vivait là. C'est de ma faute. Je suis désolé.

— Intéressant, a-t-il seulement répondu.

— Je suis vraiment désolée. (*Je ne savais pas quoi dire d'autre. Je vous rappelle que j'étais en présence de plusieurs personnes complètement nues et qui semblaient très à l'aise… elles… mais furieuses.*)

Le médium m'a souri gentiment.

— Je les emmène avec moi. Ne vous inquiétez pas. Vous pouvez continuer. (*Il a montré mon collier aux autres.*) Elle ne représente aucun danger. Elle porte le collier de maître Kilian.

C'est comme si ces quelques mots avaient calmé tout le monde. Merci, Ramon, pour le collier, je n'avais aucune idée de ce qu'il représentait exactement, mais il m'avait clairement servi.

Visiblement, l'homme était une autorité car le groupe l'a écouté et tout le monde est reparti, nous laissant seuls. Le médium semblait vraiment aimable tout à coup et j'ai enfin pu relaxer un peu. Alexandre et lui sont montés dans la décapotable et le sorcier nous a dit qu'on pouvait partir.

C'était amusant de voir un homme de plus de soixante ans, les cheveux un peu trop longs qui valsaient autour de sa tête, qui souriait comme un enfant en sentant l'air sur son visage.

Il nous avait dit s'appeler Raven et être un Mage.

Une fois chez lui, il nous a invités à entrer. Il nous a offert du thé. Il riait en nous expliquant que certains touristes en quête de sensationnalisme poussaient la curiosité jusqu'à filmer des cérémonies et que certaines images avaient été diffusées sur Internet. Il nous a raconté que plusieurs personnes gardaient leur appartenance religieuse secrète et que de se retrouver ainsi sur les réseaux sociaux était plutôt une expérience traumatisante.

Je comprenais tout à fait. Juste l'idée me faisait frissonner.

— Pourquoi se déshabillent-ils alors? (*Alex posait la question qui me brûlait les lèvres.*)

— Pour être en communion avec la nature. Tous les groupes ne le font pas nécessairement. Ceux qui le font souhaitent ainsi être plus près de celle qu'ils honorent, la Déesse, la nature, la vie tout simplement.

Il m'a donné sa carte et m'a invitée à aller le voir à Boston où il avait sa propre librairie. Un lieu plutôt discret et difficile à trouver selon lui.

J'ai voulu lui poser des questions sur ce qu'il m'avait dit la première fois qu'on s'était vus, mais il était fatigué et m'a expliqué qu'il ne valait rien quand il était dans cet état. J'étais déçue, mais je ne pouvais pas l'obliger à me répondre, déjà qu'il ait été sur notre route au bon moment, c'était génial.

Avant notre départ, Raven m'a tenu la main et m'a conseillé de me méfier de ma curiosité, car si, parfois, elle m'amenait au-delà de mes peurs, parfois, elle pourrait me faire glisser dans... Viteeeeee, traducteur demandé...

En sortant, j'ai posé la question à Alex, je pouvais glisser dans quoi?

Il n'avait pas écouté, trop occupé à regarder les différents objets et symboles dans la maison.

Chapitre 22

On rentrait tranquillement en voiture et nous étions silencieux. Plus de musique à tue-tête, seulement le souvenir de ce que nous avions vu.

OK, on se taisait parce qu'on avait vécu des émotions, mais aussi parce que la soirée se terminait et que les gars n'étaient pas autorisés à venir dans notre dortoir. Je ne me voyais pas aller chez des inconnus non plus.

Jusqu'à ce moment, rien ne nous avait permis de passer du temps en toute intimité. Je veux dire, juste tous les deux dans un endroit privé. Depuis la grotte, on n'avait réussi à se voir que dans des lieux publics.

J'avais hâte d'être seule avec lui. Nous n'avions pas abordé la question de la sexualité encore. Je ne savais pas où il en était par rapport à ça. Je sais, on dit que les statistiques sont super affolantes. La moyenne d'âge de la première relation sexuelle serait de treize ans. J'ai de la difficulté à le croire. Il faudrait d'abord définir ce qu'est une relation complète. À douze ans, Anaïs pensait que de s'embrasser avec la langue était une relation sexuelle et qu'on pouvait tomber enceinte. O-o.

J'ai eu des *chums* et même qu'avec deux d'entre eux, la relation a duré plusieurs mois... Mais nous n'avons fait que... de l'exploration, disons. Évidemment que c'est une façon de parler!

Ne riez pas, il n'y a rien de mal à choisir d'attendre le bon moment et surtout le bon partenaire.

C'est pas toujours facile. Il y a ceux qui tentent de nous faire croire qu'on n'est pas normales si on n'agit pas comme les filles dans les films pornos... Hé ho, les gars, c'est pas la vraie vie!!! Tu peux voler comme Superman, toi? Non? Ben, tu vois, c'est la même chose, c'est rien que du cinéma, éclairage, mise en scène et effets spéciaux!

Pour moi, plus un gars insiste, moins c'est le bon... En tout cas, c'est ma façon de voir les choses.

Tout ça pour dire que j'aurais aimé me retrouver seule avec Alex, parce que je savais que cette fois, c'était la bonne et que j'étais prête. Seulement, c'était clairement pas encore le bon endroit.

Il a arrêté la voiture à la porte du collège. Je l'embrassais et je n'arrivais pas à le laisser partir.

— Sav, faut que je parte... sinon, on va passer la nuit ici.

— Pourquoi pas? Je ne veux pas te laisser, je me suis trop ennuyée de toi.

— Moi aussi, tu m'as manqué… mais quelqu'un va finir par nous surprendre.

— On ne fait rien de mal.

— (*Il a soupiré.*) Savannah, je n'ai pas envie de louer une chambre d'hôtel moche. Je veux qu'on soit dans un endroit parfait et confortable quand le temps arrivera, tu comprends ?

Non seulement je comprenais, mais je l'aimais encore plus de penser à nous de cette façon. Créer un moment parfait et qu'on soit certains de ne pas être dérangés. Je me suis appuyée sur lui et il m'a entourée de ses bras.

— Sav… je t'aime.

— Je voudrais qu'on reste comme ça.

— Impossible. Je te retrouve pour le petit déjeuner demain matin. D'accord ? Allez… faut aller se coucher.

— Je suis trop bien.

— (*Il a ri…*) Je vais devoir te faire descendre de force ?

— Alex… tu sais que je n'ai… je veux dire… jamais… eh bien… (*Oh, c'était pas facile d'aborder le sujet.*)

— Hum hum… Je comprends.

— Et toi ? Tu as déjà… (*Je suis vraiment juste trop pudique.*)

Il a mis son doigt sur mes lèvres et m'a seulement dit qu'on en parlerait une autre fois. Que tout ce qu'il avait connu avant ne comptait pas...

Finalement, je suis descendue de la voiture. Déchirée entre la fatigue et l'envie de rester avec Alex.

Je montais les marches tranquillement en me demandant ce qu'il avait bien voulu dire par «ce qu'il avait connu avant ne comptait pas». Avait-il eu plusieurs amours? Combien de filles étaient passées dans ses bras? Un poil de jalousie est venu me chatouiller le cœur.

En entrant dans la chambre, j'ai perdu le fil de mes pensées, Charlotte était couchée avec une débarbouillette sur le front et râlait un peu.

Elle était malade et avait un mal de tête presque insupportable. Anaïs ne savait pas quoi faire et restait assise dans son coin. Je suis vite allée chercher la surveillante pour qu'elle vienne nous aider.

J'étais inquiète, Charlotte était d'une drôle de couleur, un peu grise et ses yeux semblaient égarés. J'optais pour l'hôpital alors qu'Anaïs insistait pour qu'on attende un peu... pour voir.

J'ai regardé mon amie avec un air interrogateur. Que cachait Anaïs?

Chapitre 23

La nuit fut agitée. Charlotte se sentait mal, la surveillante a voulu faire venir un docteur, mais mon amie disait qu'elle allait déjà mieux. Anaïs semblait de plus en plus mal à l'aise, je voyais bien qu'elle angoissait.

J'ai fini par demander à Anaïs si elle savait quelque chose. Est-ce que Charlotte avait bu, ou bien fumé de la drogue… ou pris un verre qui aurait pu avoir été contaminé par quelque chose? Il y a tellement de drogues de toutes sortes maintenant, ça aurait pu être n'importe quoi.

Anaïs m'a invitée à aller à la salle de bains pour parler. Elle semblait vraiment mal à l'aise, elle m'a fait jurer cracher que je ne me fâcherais pas.

Je ne savais pas quoi penser, j'hésitais à promettre sans savoir ce qu'elle me cachait.

— Savannah, tu dois promettre de ne pas m'en vouloir… OK? Tu promets ou pas? Sinon, je ne dis rien.

— Si tu sais quelque chose et que ça concerne la santé de Charlotte, tu dois me le dire, que je jure ou pas.

— Non, je sais que tu vas être en colère... alors, je ne dis rien, tant que tu me dis pas que tu vas me pardonner.

Elle était trop butée, elle ne dirait rien, c'était clair.

— D'accord... je promets... alors parle.

— Eh bien, tu sais, l'autre jour à Salem ? Je suis allée dans une boutique et j'ai acheté un truc spécial.

— Quel truc ?

— Un sachet... Une sorte de tisane et ça repousse les choses.

— Bon, truc et chose, c'est pas du tout clair, ça, Anaïs. Tu peux faire une phrase avec des vrais mots ?

— J'ai acheté une tisane pour repousser l'amour, bon ! Je la lui ai fait boire mélangée à du jus... et depuis, elle se sent mal.

— Mais c'était quoi ? Tu le sais ?

Elle a haussé les épaules.

— La vendeuse m'a assuré que c'était sans risque et que ça tenait l'amour loin de notre rivale...

— Je ne sais pas quoi dire, j'en reviens juste pas !!!

—Tu as promis... Tu n'as pas le droit d'être en colère.

—Anaïs, tu vois bien que ça l'a rendue malade? Tu sais même pas ce qu'elle a pris? Voyons donc!

—Mais la fille du magasin m'a dit que...

—Anaïs, tu ne parles pas anglais assez bien, elle a pu dire quelque chose que tu n'as pas compris. Sérieusement?

—Je suis super mal, là... On fait quoi?

—Tu as encore le sachet avec le nom du produit? Je pense qu'on doit aller à l'hôpital et on va tout leur raconter.

—Non, Charlotte va m'en vouloir.

—Il fallait y penser avant... Assume... J'en reviens vraiment juste pas. Tout ça pour Stefano. Franchement.

On est retournées à la chambre pour aider Charlotte à se lever. Elle avait retrouvé des couleurs, mais elle ne semblait pas encore tout à fait elle-même. Avec l'aide d'une des surveillantes, on est parties pour l'hôpital.

L'infirmière ne comprenait pas trop ce qui s'était passé. Pendant que Charlotte consultait un médecin, elle est venue nous questionner. Elle se demandait pourquoi Charlotte avait bu ce produit.

Je lui ai expliqué qu'Anaïs pensait faire de la magie. Alors, elle nous demandé: «Mais vous lui avez fait boire? Vous avez fait bouillir les herbes et les avez mises dans un jus?» Anaïs a hoché la tête tristement. L'infirmière lui a expliqué que ce n'était pas buvable, c'étaient des herbes à faire brûler dans un petit récipient. De l'encens! Que notre amie faisait une réaction, puisque c'étaient des herbes légèrement toxiques. Elle a ajouté qu'on avait beaucoup de chance que ce ne soit pas plus grave. Elle a dit à Anaïs que c'était vraiment très mal de vouloir faire de la magie noire.

Noire? @-@

Ensuite, Anaïs s'est fait savonner les oreilles par le docteur qui ne semblait pas prendre la situation à la légère. Elle a pleuré et tenté de s'excuser dans un anglais approximatif. Il lui a dit qu'elle aurait pu tuer quelqu'un, qu'on ne donne jamais rien à une personne sans l'aviser. Jamais, ni drogue, ni alcool, ni quoi que ce soit. Il a fini par avoir un peu pitié, car elle pleurait à chaudes larmes et s'excusait sans arrêt. Il lui a fait promettre de ne jamais recommencer, ce qu'elle a promis immédiatement et sincèrement.

Nous avions appris quelque chose d'important: ne jamais rien donner à une personne sans l'aviser. Bon... On avait eu assez peur, merci.

Charlotte était furieuse. Je ne pouvais pas dire qu'elle n'avait pas raison, je l'aurais été moi aussi. Anaïs avait tenté d'utiliser la magie contre elle en la droguant.

«Une simple tisane», répétait sans cesse Anaïs qui regrettait, mais trop tard. Elle avait beau essayer de se faire pardonner, Charlotte ne voulait rien savoir. Le reste du séjour serait horrible. J'allais devoir me diviser en deux.

Anaïs n'avait pas compris ce que la vendeuse lui avait expliqué au sujet du produit. Quelle erreur, ça aurait pu être beaucoup plus grave!

Est-ce que j'en voulais à Anaïs? Même pas. Je la connais trop bien. Je savais qu'elle n'avait pas cru, une seule seconde, qu'elle pourrait faire du mal à Charlotte. Je me disais qu'elle devait être très malheureuse.

Est-ce que je comprenais Charlotte? Tellement! Si quelqu'un tentait de me droguer à mon insu, je ne pourrais jamais lui pardonner.

J'ai essayé de dormir les quelques heures qui me restaient de cette nuit houleuse. Mais les pensées se bousculaient et j'avais hâte de parler à Alex.

Dimanche

Chapitre 24

Petit déjeuner en tête-à-tête avec Alexandre. J'étais fatiguée et j'avoue que mon humeur faisait des vagues... Et la houle était forte.

Quand je lui ai raconté l'aventure de la nuit précédente, Alexandre a répondu: «Ahhhh, les filles...» Avec un sourire un peu trop condescendant à mon goût.

Je ne peux pas dire pourquoi, mais ça m'a vexée. Je lui ai demandé si les gars ne faisaient pas la même chose quand ils étaient amoureux?

Il m'a assuré que non, que les filles se bataillaient souvent pour rien. Alors je lui ai rappelé que les gars aussi se battaient et souvent pas mal plus sérieusement. C'est facile de dire «ahhhh, des histoires de filles...», mais en réalité, c'est la même chose pour tout le monde. Je déteste quand on ridiculise l'humeur des filles. Plus je lisais le livre de Fabrice et plus j'étais intolérante envers les sous-entendus au sujet de notre caractère.

Bon, j'étais franchement malcommode. Limite passive-agressive, comme dirait ma mère.

Une de ces journées où un rien nous frustre comme si c'était la fin du monde.

Alexandre ne voulait que détendre un peu l'atmosphère et, moi, je mordais dans tout ce qu'il disait, comme un crocodile affamé.

Alors, je me suis mise à lui reprocher de m'impliquer dans ses histoires ridicules. Qu'il m'entraînait tout le temps dans des aventures dangereuses et inutiles. Je lui ai lancé que j'avais eu très peur la nuit dernière et que ce que les gens font ne nous regarde pas. Qu'on ne doit pas suivre une femme juste par curiosité et que je n'attendrais certainement pas qu'il mette encore ma vie en danger…

D'une colère à une autre et d'une stupidité à une bêtise en trop… parce que je ne pensais pas deux mots de ce que je disais, nous avons fini par nous séparer. Il a préféré repartir plus tôt pour Montréal et moi, j'ai affirmé avoir du travail à faire pour mes cours.

Une heure plus tard, j'étais en larmes sur mon lit à me demander si je n'avais pas bu de la potion magique d'Anaïs moi aussi. Comment j'avais pu dire toutes ces âneries à l'homme que j'aimais le plus au monde et que j'aurais suivi partout… ou presque.

C'était la fatigue qui m'avait rendue intolérante? Je m'en voulais tellement. J'ai envoyé sept textos à Alex en lui disant, de toutes les manières possibles, que je regrettais ce que j'avais dit, que j'étais seulement trop épuisée... Il ne me répondait pas et j'étais désespérée.

Je me trouvais nulle... stupide, fêlée du tacos, tête de concombre bouilli, cerveau de libellule, l'intelligence d'une limace en rut. N'importe quoi... Je voulais qu'Alex me réponde.

Charlotte et Anaïs ont fait la paix temporairement, le temps de comprendre ce qui m'arrivait et d'essayer de me consoler.

Mais j'étais inconsolable.

Je ne voulais plus qu'une chose, disparaître dans le lit, sous la couette et rester là jusqu'à ce que l'apocalypse arrive enfin, et me libère de toute ma peine.

C'est le moment que la surveillante principale a choisi pour faire son entrée. Elle semblait un peu agitée. Elle nous a avoué ne rien comprendre, car elle avait fait la demande de vidéo à la sécurité et on venait de lui répondre qu'il n'y avait rien.

Rien ? Je tentais d'émerger de mon lit et de me concentrer sur ce qu'elle baragouinait avec son étrange accent du Sud.

Elle nous a appris que tous les corridors, entrées et escaliers, étaient surveillés par des caméras dissimulées derrière des grilles d'aération. Elle pensait qu'on trouverait aisément notre voleur, puisqu'il aurait été filmé à son insu.

Curieusement, il manquait, sur la bande enregistrée, une heure complète. Celle pendant laquelle avait eu lieu le vol dans notre chambre!

Du jamais vu selon elle. Une enquête serait effectuée par la sécurité, mais en attendant, il était impossible de savoir qui avait réussi à pénétrer dans la chambre. Cependant, une chose semblait claire, ce n'était pas un vol ordinaire, car il avait dû être organisé par un professionnel.

Un professionnel?

Mon imagination a tout de suite fait des doubles *flips*… je me sentais en danger.

Nouveau texto à Alexandre, plus du tout sur le même ton. J'étais inquiète pour moi… mais surtout pour lui. Pourquoi ne répondait-il pas?

J'ai décidé de téléphoner à mon frère Loup. Je me suis dit qu'un gars pourrait mieux en comprendre un autre et qu'il aurait certainement des suggestions à me faire. Je lui ai tout raconté, la dispute avec Alexandre, le faux assistant, le vol, les craintes que j'avais. Il m'a suggéré de me rendre chez les amis des Préfontaine pour voir si Alex était encore là. Il a insisté pour que je n'y aille pas toute seule cependant. Je devais savoir s'il était parti, ou s'il était encore à Boston. Loup posait des questions pertinentes et je me sentais en confiance avec lui. J'ai décidé de suivre ses conseils.

À qui demander de m'accompagner? Charlotte était encore affaiblie par son empoisonnement, pas question de lui demander de me suivre. Je voulais qu'Anaïs reste auprès d'elle, même si elles ne se parlaient plus, je voulais qu'elle s'assure que Charlotte ne manque de rien. Donc, je ne pouvais pas leur demander ni à l'une ni à l'autre.

Il ne me restait pas beaucoup de choix, en fait, il n'y avait qu'une seule personne possible, Stefano!

Chapitre 25

Stefano connaissait bien la ville et il allait m'aider à retrouver la maison où logeait Alexandre. Je me souvenais seulement de ce à quoi ressemblait la rue, mais pas du chemin à prendre.

Nous avons loué des vélos et nous avons pris la route. Stefano me demandait de décrire la maison qu'on cherchait; il voulait tenter d'évaluer dans quel quartier regarder. J'avais une idée de la direction à prendre, c'était déjà un bon indice. Si j'avais eu l'adresse, je l'aurais mise dans mon GPS, je m'en voulais de ne pas l'avoir prise en note.

Le temps pressait un peu et j'étais de plus en plus inquiète pour Alexandre qui ne retournait aucun de mes appels. Loup devait essayer de le joindre de son côté, s'il ne me rappelait pas, c'est qu'il n'arrivait pas à avoir des nouvelles lui non plus.

Stefano s'efforçait d'être gentil. Il voulait me rassurer et, surtout, il en profitait pour me faire la cour. Il m'assurait que si mon amoureux ne réalisait pas la chance qu'il avait, eh bien, c'est qu'il ne me méritait pas.

Je ne voulais pas lui expliquer toute la situation et il commençait à m'énerver sérieusement.

Il faut dire que je n'étais pas la patience incarnée. J'aurais voulu trouver la maison en quelques minutes, alors que ça faisait presque une heure qu'on roulait.

Finalement, j'ai vu une rue qui me rappelait quelque chose et j'ai fait signe qu'on devait tourner vers la droite. Enfin, je retrouvais le chemin, nous n'étions qu'à deux ou trois rues et j'accélérai le rythme. Arrivée devant la maison, j'ai couru dans l'escalier et j'ai sonné sans réfléchir. Je ne savais rien de ces gens-là.

Une belle jeune femme dans le début de la trentaine m'a ouvert la porte. Je lui ai dit que j'étais une amie d'Alex et que je désirais lui parler. Elle m'a demandé d'attendre une minute. Mon cœur battait très vite, qu'est-ce que j'allais dire à Alex s'il me boudait et refusait de me parler ?

Un homme beaucoup plus âgé est venu à la porte et m'a dit qu'Alexandre s'était absenté pour le reste de la journée. Il avait un rendez-vous. Je lui ai expliqué que je tentais de le joindre sur son cellulaire, mais qu'il ne répondait pas. L'homme m'a appris qu'Alex avait sans doute laissé son téléphone dans sa chambre, puisqu'il l'entendait sonner depuis déjà un bon moment.

Bon, j'avais mes réponses. Je ne pouvais pas rester là plus longtemps. J'ai remercié, demandé qu'on fasse le message que j'attendais des nouvelles et je suis repartie.

Maintenant, quoi faire? Si Alex avait un rendez-vous aujourd'hui, il ne m'en avait pas parlé. Qu'il ait oublié son cell, c'était bien possible, ça arrive des fois, mais qu'il m'ait caché un rendez-vous, c'était quand même un peu étrange.

Stefano m'attendait en tenant mon vélo. Il m'a fait un air de fausse tristesse, comme s'il compatissait. Je voulais trop réfléchir et je n'avais pas envie de lui parler. Je suis montée et j'ai pédalé sans dire un mot et sans savoir exactement où j'allais.

Je me suis arrêtée pour lire un texto que je venais de recevoir. C'était Loup, je lui ai répondu ce que je savais. J'avais envie de pleurer, de m'arrêter sur le bord d'une route et de me laisser avaler par la terre, comme dans des sables mouvants.

Heureusement, je ne suis pas du genre à me laisser aller.

J'ai remercié Stefano pour ses services et lui ai dit que je préférais attendre seule le retour d'Alexandre. Il a insisté pour rester avec moi, mais j'ai tenu bon.

J'ai repris mon vélo et je suis retournée sur mes pas, en direction d'un parc qu'on avait croisé près de la maison et d'où je pourrais surveiller le retour d'Alex.

Plus j'y réfléchissais et plus j'avais des doutes sur le vol dont nous avions été victimes. Qui pouvait mieux que le faux monsieur Leconte faire effacer une heure sur une vidéo?

Et en même temps, une autre idée naissait tranquillement. Mon amie Jobs pourrait m'aider à vérifier certains détails. J'allais mettre ses talents en informatique à l'épreuve.

Chapitre 26

J'étais assise sur un banc dans le petit parc à quelques mètres de la maison où logeait Alexandre. Stefano était retourné au collège et je tentais de reprendre «le contrôle» de ma vie. J'ai rejoint Jobs du premier coup. Mon ami Jacob est surnommé ainsi, parce que c'est un *geek* d'informatique et que son nom nous rappelle celui de Steve Jobs.

Il écoutait mon histoire et ne voyait toujours pas en quoi il pourrait m'aider. Je lui ai parlé du vol et des images effacées et tout de suite il a compris.

— Tu veux que j'essaie de retrouver les images?

— Est-ce que tu peux le faire?

— Je pense que si c'était possible, la sécurité les aurait récupérées.

— Mais tu ne peux pas trouver d'indices, quelque chose qui nous donnerait une petite idée de qui a effacé le document par exemple?

— Je peux aller voir ce que ça dit. Mais Sav... entrer sur le site de la sécurité... c'est tellement pas permis.

—Je sais… Jobs, c'est à ton niveau ou pas?

—Bien sûr que je peux trouver des informations. Et puis c'est pas un site important, comme la CIA où un truc du genre, là, j'hésiterais quand même un peu.

—J'espère… Mais j'ai autre chose. Je veux que tu m'aides à trouver les coordonnées d'un certain Fabrice qui aurait fréquenté le collège en 98.

—Mille neuf cents ou mille huit cents?

—1998… quand même.

—Tu me donnes son nom?

—C'est tout ce que j'ai: Fabrice, Français, étudiant cette année-là.

—Je vais voir ce que je peux trouver. Autre chose?

—Jobs, je t'adore, tu es génial!!!

—Tu pourrais me dire quelque chose que je ne sais pas déjà? lol.

J'avais envie d'en savoir plus sur Fabrice. Je me demandais si je ne pourrais pas le retrouver et lui rendre son journal. Il était peut-être encore solitaire et aurait été bien content de découvrir qu'il avait trois amies.

Quelque chose était en marche, difficile de savoir vers quoi je m'en allais, mais j'avais le sentiment de maîtriser… un peu… ma destinée. C'était en tout cas plus positif que de me laisser avaler par ma doudou et disparaître dans un matelas.

J'ai attendu longtemps. Loup m'a appelée trois fois, Jobs m'a contactée pour vérifier un détail ou deux… et je regardais les gens passer. Après deux heures, j'ai enfin vu arriver la fameuse décapotable. Je lui ai fait signe et il s'est arrêté immédiatement.

Il est descendu de la voiture et m'a prise dans ses bras.

— Excuse-moi, Savannah. Je ne voulais pas qu'on se fâche.

— Non, c'est de ma faute. Je ne comprends pas ce qui m'a pris. J'étais de mauvaise humeur mais sans raison et ce n'était pas à toi de payer pour mon manque de sommeil. Je suis vraiment trop désolée.

— J'aurais dû comprendre que tu étais fatiguée et ne pas insister.

— Non, c'est moi. Arrête… Tout est de ma faute.

J'étais tellement heureuse d'être dans ses bras et de constater qu'il ne m'en voulait pas. Il m'aimait toujours et c'était ce qui était le plus important.

On est montés dans la voiture.

— Savannah, j'ai eu un appel ce matin et je suis parti à ce rendez-vous. C'est pour ça que je n'ai pas pu te donner de nouvelles.

Mon détecteur de panique a commencé à se faire aller. Je sentais que je n'aimerais pas ce qu'il allait me dire.

— Il y avait des représentants de l'université d'Oxford en visite pour quelques jours. Ils viennent rencontrer des étudiants potentiels. J'espérais pouvoir en profiter pour les voir. Ils ont appelé tôt ce matin et je suis parti rapidement en laissant mon cellulaire sur le chargeur.

— J'étais vraiment inquiète, tu sais.

— J'imagine.

— C'est où Oxford? Aux États-Unis?

— Non, c'est en Angleterre.

— Pourquoi tu voulais les voir?

— Parce qu'ils ont des cours en histoire et en archéologie qui m'intéressent beaucoup.

— Je ne comprends pas. Tu essaies de me dire quoi exactement? Que tu vas partir pour l'Angleterre? Tu veux suivre un cours?

— Savannah, s'ils m'acceptent, je vais aller poursuivre mes études universitaires dans cette formidable université. Tu te rends compte de la chance que ça serait pour moi?

Oui, bien entendu que je comprenais la chance que c'était de pouvoir fréquenter une des meilleures universités au monde. Surtout si elle offrait les cours dont Alex rêvait. J'étais tout à fait capable de voir que c'était important pour lui. Je me suis retenue pour ne pas crier… Nonnnnnnnnnnnn, ne pars pas. Pourquoi Oxford refuserait un étudiant aussi plein de potentiel qu'Alexandre Préfontaine ? Ils vont dire oui, c'est sûr… et ça voudrait dire quoi pour moi ?

— Tu sais Sav, il y a Skype et on pourra se texter plusieurs fois par jour. Je viendrai à Noël et tu pourrais venir me voir toi aussi. Tu connais l'Angleterre ?

— Tu vas me dire qu'il y a plein de trésors cachés là-bas !

Je tentais de garder mon sourire et de ne pas laisser paraître mon inquiétude. Vouloir le retenir en pleurant, ça aurait été vraiment très égoïste de ma part. Je souhaitais le mieux pour lui et, visiblement, ce qu'il désirait, c'était l'Angleterre.

— Je suis content que tu le prennes bien. J'avais peur que tu réagisses mal. Je n'osais pas t'en parler. Mais cette rencontre s'est vraiment bien passée et ils ont même évoqué la possibilité de m'offrir une bourse. Tu te rends compte ?

— C'est génial. Wow… Je ne trouve pas de mots.

Son enthousiasme était beau à voir, mais s'il avait vu dans quel état mon cœur était… oh là là… J'ai réussi un exploit, pleurer en dedans et sourire en dehors. Bravo, Savannah, tu as fait de la magie.

Une fois calmée, j'ai pu raconter l'histoire de la vidéo effacée à Alexandre qui a semblé inquiet lui aussi.

Pendant ce temps, Jobs me laissait des textos que je ne prenais pas. Il faut dire que ma concentration était dirigée totalement sur une seule et unique chose : les apparences ! Ne pas montrer à quel point j'étais triste me demandait toute mon énergie.

Alex a fini par suggérer que les messages étaient peut-être urgents puisque la personne rappelait continuellement.

— Jobs doit essayer de me joindre pour me dire qui a effacé la vidéo.

— Alors, va voir… Il faut qu'on sache ce qui se passe.

J'ai lu à haute voix :

« Sav, message effacé par professionnel. Aucune trace. Vrai Bo travail. J. »

Les questions se bousculaient, la principale était : mais que cherchait-il dans notre chambre ? Si c'était le faux monsieur Leconte qui avait fouillé, c'est qu'il voulait trouver quelque chose, non ? Mais quoi ? Dans un crime, il y a un coupable, mais aussi toujours un mobile et, là, il semblait n'y avoir aucune bonne raison. On restait silencieux à réfléchir. C'est Alexandre qui a tenté une explication le premier.

— La seule chose que je vois qui pourrait l'intéresser, c'est le codex. Est-ce qu'il est au courant que mon père me l'a donné?

— Il se dit peut-être qu'avec un peu de chance, tu m'en as fait une copie?

— Oui, peut-être, ça expliquerait pourquoi il cherche dans tes tiroirs.

Nous n'avions aucune preuve, rien pour nous confirmer que ce curieux personnage était encore sur nos traces. Le fait que je l'aie aperçu sur un quai ne suffisait pas à l'accuser.

Nous n'avions aucun indice. Seulement un vague pressentiment, une sorte d'intuition que quelque chose de grave se cachait derrière cette intrusion.

Chapitre 27

Après une séparation difficile et des centaines de je t'aime, j'ai dû retourner au collège, laissant Alexandre faire ses bagages pour repartir à Montréal, où il m'attendrait le dimanche suivant à l'arrivée de l'autobus.

Évidemment qu'on restait en contact et que si j'avais un indice ou si je revoyais le type que nous avions rebaptisé Monsieur Mystère, je l'aviserais immédiatement.

Charlotte semblait être en meilleure forme et Anaïs écoutait de la musique dans son coin. Je les ai observées quelques secondes. Elles ne se parlaient pas et même qu'elles faisaient comme si l'autre n'existait pas. Quelque chose d'étrange se passait. Je ne reconnaissais plus Charlotte depuis quelques jours ; elle était tellement différente de la fille qui était mon amie. Et que dire d'Anaïs, que je n'avais jamais vue faire des choses aussi peu réfléchies ? Aller acheter un produit magique, voyons ? Je savais que la présence de sorcellerie si près de nous était tentante, mais de là à s'en servir, ça m'apparaissait trop énorme tout à coup.

— Bon, les filles. Ça suffit. C'est trop pas normal et, franchement, c'est pas du tout agréable.

— Parce que tu penses que c'est plus l'*fun* pour moi ? Je sais pas si tu es au courant, mais c'est moi qui me suis retrouvée à l'hôpital à cause de madame, a presque crié Charlotte.

— Ça fait cent fois que je m'excuse, mais si personne ne veut écouter, ça me sert à quoi de continuer ? a répondu une Anaïs un peu trop agressive.

— Ne recommencez pas.

— Tu vas pas me dire que tu vas prendre sa défense quand même ? (*Charlotte montait le ton d'un cran.*)

— C'est qu'elle a pas un cœur en béton, elle ! (*Anaïs s'était levée et s'approchait du coin opposé.*)

— Quand je pense que j'ai voulu être *cool* et une bonne amie. Quand Stefano t'a écrit, j'ai accepté de céder ma place… Mais pour qui ? Pour une cinglée !

— Toi *cool* ? Mais tu te vois pas, t'as l'air d'un iceberg… Même le *Titanic* aurait peur.

Oh non, la situation dégénérait et je ne trouvais pas quoi dire pour les calmer.

— Arrêtez… On va essayer de se parler.

Trop tard, les deux filles se battaient. Je criais, je tentais de les séparer, j'ai reçu un coup de coude dans l'œil. J'ai titubé et je suis tombée sur le livre des ombres qui était ouvert sur mon lit.

Dans le corridor une fille a crié : « *Cat fight*!!!»... et c'était parti. J'avais l'impression d'assister à la fin d'une belle amitié. J'ai refermé le livre et à ce moment précis quelque chose d'étrange m'a accroché l'œil.

Le pentacle était dans quelle position exactement? Je le tournais de côté et le retournais, et j'ai tout à coup réalisé qu'il était à l'envers.

Pendant que deux surveillantes séparaient les deux filles et les amenaient dans leur bureau, j'ai observé le journal de Fabrice.

Nous nous étions dit qu'on le lirait ensemble, toutes les trois et que si quelque chose d'anormal se passait, nous arrêterions immédiatement. Mais ne vivions-nous pas quelque chose de pas normal justement? Je ne reconnaissais plus mes amies, même moi, ce matin, je ne comprenais pas qui j'étais avec Alexandre. Et si le livre nuisait à notre amitié. Si, au lieu de nous resserrer, il nous divisait?

OK, c'était un peu *weird* et il fallait croire au pouvoir de la magie... Mais bon, il y a tellement de choses qu'on ne comprend pas encore. Même les grands savants disent que certains mystères sont inexplicables de façon logique. Des scientifiques sérieux parlent de voyage dans le temps, d'autres de vie après la mort... ou d'extraterrestres, alors qui croire?

J'ai pris le livre et je suis partie à la bibliothèque. Il était temps de le remettre à sa place et d'espérer que les effets néfastes cessent rapidement.

J'ai retrouvé la tablette et j'ai remis le livre en arrière en laissant dépasser la bandelette de cuir, exactement comme je l'avais trouvé. Je n'étais peut-être pas la première à le lire et à le replacer au même endroit.

Quand les filles sont revenues à la chambre, je leur ai expliqué ma théorie. Nous étions en plein chaos et il fallait parvenir à retrouver nos personnalités et notre amitié.

Je voulais que Charlotte regagne sa bonne humeur et son humour, qu'elle arrive à remettre les choses dans la bonne perspective. Et qu'Anaïs redevienne l'amie toujours tellement généreuse qu'on ne peut pas lui en vouloir.

Anaïs s'est mise à pleurer et Charlotte a soupiré avant d'aller la prendre dans ses bras et de me regarder avec inquiétude. Elle m'a demandé si je m'étais battue avec le livre avant de le remettre en place.

— Non, pourquoi?

— Parce que tu as un œil qui commence à prendre sérieusement des couleurs vraiment étonnantes.

Je suis allée me regarder dans le miroir, et en effet mon œil était rouge et un peu violacé.

— C'est vous qui vous battez et c'est moi qui suis blessée.

Je m'amusais, cette situation était un peu absurde et ça ne faisait pas vraiment assez mal pour me mettre en colère. Charlotte s'est mise à rire et a ajouté que ma réputation était faite. Tout le monde allait penser que je m'étais battue.

—Attends, on va mettre quelque chose là-dessus... De l'eau froide peut-être? a demandé Anaïs, inquiète.

Elle a pris une débarbouillette et est allée chercher de l'eau.

—C'est fou ce qui nous arrive!

—Tu crois vraiment que le livre peut avoir eu une influence sur notre amitié?

—J'en sais rien, mais je n'ai pas pris de chance. Charlotte, si on se disait que c'est sûrement quelque chose d'extérieur à nous, qui a changé notre caractère et nos motivations... est-ce que tu pourrais pardonner à Anaïs?

—Peut-être.

Justement, elle revenait avec de la glace.

—Pauvre Sav... Tu vas être méconnaissable demain.

Installées, toutes les trois bien collées sur mon lit – toujours aussi extra-mini, je vous rappelle –, nous parlions de ce qui était arrivé. Nous réalisions que notre amitié devait être plus importante que l'amour passager avec un gars qui vivait, de toute façon, à des millions de kilomètres de chez nous.

Que le plus important, c'était le bonheur de ceux qu'on aime.

Je leur ai raconté ce que j'avais appris au sujet du projet d'Alexandre d'aller en Angleterre. Les filles m'ont dit que je devais lui avouer que j'avais trop de peine et que je ne voulais pas qu'il parte.

Après réflexion, j'ai répondu qu'au contraire, quand on aime vraiment, il faut vouloir le bonheur de l'autre et que si Oxford était ce qu'Alex désirait, je n'allais pas essayer de le retenir. Même si je devais me piler sur le cœur jusqu'à ce qu'il soit en miettes.

Les filles m'ont entourée de leurs bras et nous étions réunies de nouveau, comme le triquetra de Charlotte.

À ce moment-là, en nous sentant aussi proches, comme avant, j'ai eu l'intime conviction que nous avions été victimes d'une magie puissante.

Lundi

Chapitre 28

Identification visuelle : Chambre ensoleillée
Identification auditive : Tout le monde dort. Joie!

Je me préparais à me lever. J'étais satisfaite de notre soirée de la veille. Nous avions fait la paix et, surtout, nous étions d'accord pour respecter une nouvelle règle : pas d'amour d'ici la fin du voyage. Charlotte reconnaissait que même si Stefano l'invitait de temps en temps, il n'avait pas vraiment fait d'avances significatives. Quant à Anaïs, elle était décidée à mettre une croix sur le bel Italien.

Je n'avais pas osé leur dire qu'il m'avait fait des déclarations, je n'aurais mis qu'un peu plus d'huile sur ce feu trop incontrôlable. Nous avions retrouvé un calme relatif et c'était hors de question que je risque de tout défaire.

Mes pensées me retardaient et ce matin-là, je prenais mon temps. J'avais encore besoin de faire le point sur la situation. D'abord, est-ce que le livre des ombres pouvait vraiment nous avoir ensorcelées?

La veille, ça me semblait parfaitement possible, mais le lendemain matin, je me suis mise à douter sérieusement.

C'est fou, mais la nuit je crois aux fantômes et même aux vampires qui pourraient vouloir boire mon sang pendant mon sommeil. Mes cauchemars deviennent réalité et je tremble parfois comme une feuille. J'ai peur des monstres et des loups-garous, j'ai vraiment beaucoup trop d'imagination dès que le soir tombe. Mais quand le jour arrive, je me demande bien ce qui a pu me prendre d'avoir aussi peur d'ombres inoffensives. Un livre ensorcelé? Vraiment? @-@

D'un autre côté, je savais que des millions de personnes y croient, alors il restait un petit doute en moi. Et si Fabrice avait pu se venger à distance? Nous aurions été ses victimes? Ces pensées faisaient quand même un peu leur chemin dans mon imagination trop fertile.

À la douche et vite, avant que les autres arrivent et que la folie me gagne!

La douche m'avait donné le temps de réfléchir à ce cher Monsieur Mystère. Imaginons qu'il soit venu fouiller dans ma chambre... que cherchait-il? Le codex? Si c'est le cas, il est reparti les mains vides... ha ha... Et si c'était autre chose? Ou s'il avait placé un micro? On était en plein jour et je commençais à me faire des scénarios dignes d'Hollywood. Comment met-on la fonction «imagi-nation fertile» à *off*?

J'ai aperçu Aleyna, une Suédoise, qui venait d'entrer sans faire de bruit. Elle a coupé court à mes rêveries. Je me cachais maladroitement derrière ma serviette, trop mal à l'aise.

— Savannah, tu es gênée? Tu veux que je sorte?

Elle avait lu dans mes pensées ou quoi?

— Nous, en Suède, nous avons l'habitude, à cause des saunas. Mais si tu veux, nous pouvons installer un rideau ou quelque chose... Ou bien je reviens plus tard?

Son sourire était charmant et sa dentition légèrement imparfaite lui donnait beaucoup de charme. Je la trouvais trop gentille tout à coup.

— C'est vrai, Aleyna, que je suis timide, mais je m'habitue tranquillement.

— Pourquoi tu ne l'as pas dit avant? On va trouver une solution. Elin est comme toi et on lui installe des serviettes. Là, je sors, mais demain, on s'organise.

— D'accord. (*J'ai ri un peu.*) C'est stupide, je sais.

— Non, non, pas du tout... Si tu es mal à l'aise, c'est à nous de faire attention. On oublie parfois.

Elle a levé la main en signe de départ et m'a laissée seule. Elle a croisé quelqu'un dans le corridor et je l'ai entendue demander d'attendre un peu.

Je l'aimais tellement tout à coup. Comme si je découvrais Aleyna pour la première fois, pourtant nous étions dans le même cours depuis des jours. C'était la plus longue discussion qu'on avait jamais eue.

Qu'est-ce qui s'était passé exactement ? Elle m'avait comprise. Elle m'avait respectée… Voilà… Je me sentais bien parce qu'elle ne m'avait pas jugée.

Son sourire avait été une clé importante pour me mettre à l'aise. Elle n'avait pas ri de moi ni de mes complexes, au contraire. Si elle s'était moquée de moi, j'aurais développé de l'amertume, ou même de la colère. Est-ce que ce n'est pas tout simplement ça, le secret… le sourire ?

Wow, j'étais rendue loin dans mes pensées.

Il était temps d'accélérer un peu et de me brosser les dents. Je me suis enfin regardée… Horreur !!! Mais c'était quoi, ce truc affreux et violacé dans mon front ? Un œil ? Il était enflé et allait du rouge au noir, en passant par toute la gamme de violets. Je ne savais pas quel coude m'avait frappée, mais il ne m'avait pas ratée.

J'ai essayé de le maquiller un peu, c'était pas génial, mais je ne pouvais pas faire mieux.

J'allais tenter de faire ma journée normalement, mais si je ne m'expliquais pas, j'allais devoir répondre à mille questions. Donc, en entrant au cours, j'ai raconté l'histoire devant tout le monde. Satisfaits, les étudiants ont pu parler d'autre chose et arrêter de me regarder comme une pustule galopante.

L'après-midi était consacré à la visite d'un centre commercial géant. Normalement, j'aurais été la première à sauter dans l'autobus, mais j'avais plutôt envie de réfléchir. Je m'ennuyais déjà d'Alexandre qui m'écrivait un texto toutes les heures ; lui aussi se sentait loin et, en plus, il voulait me démontrer qu'on pouvait être près l'un de l'autre, tout en étant à distance.

Téléphone de Jobs. Ohhhh ! je l'avais oublié. Avait-il trouvé quelque chose finalement ?

— Savannah, j'ai passé la nuit à décrypter tous les dossiers pour trouver un Fabrice et j'ai rien. Soit il a un autre nom, soit il n'a jamais fréquenté ton collège… ou son dossier est effacé.

— Effacé ? Comment ça ?

— Ben, je sais pas, mais sans le nom de famille, je ne trouve rien.

Il y avait vraiment trop de trucs étranges depuis quelques jours. Une vidéo de surveillance effacée, un sorcier qui nous fait cadeau de colliers, un vol, des gens dont le caractère change complètement et maintenant un faux étudiant ?

Je suis retournée à la bibliothèque dans l'espoir de trouver un nom de famille ou un autre prénom dans le livre des ombres. Un indice qui me mettrait sur la trace de Fabrice. Mais j'ai eu beau fouiller partout, déplacer les livres, regarder s'il n'était pas tombé derrière… rien à faire, le livre n'était plus là. Il avait disparu.

Je pataugeais dans le mystère. Encore un autre truc bizarre, alors que mon cerveau n'arrivait déjà plus à gérer la situation.

Chapitre 29

Charlotte et Anaïs sont revenues les bras pleins de sacs et les yeux remplis d'étoiles. Elles avaient eu du plaisir dans les boutiques. Selon elles, j'avais vraiment manqué quelque chose de géant. Stefano étant absent, elles avaient pu en profiter réellement et s'étaient amusées.

Elles ouvraient leurs sacs remplis de merveilles et j'étais un peu envieuse. Elles avaient fait de belles trouvailles. De mon côté, j'ai préféré ne pas les informer de ce que j'avais appris ou plutôt découvert au sujet de Fabrice. Surtout, ne rien leur dire sur la disparition… Du moins, pour l'instant. :x

J'aurais voulu aller au restaurant ce soir-là, mais les filles avaient trop dépensé et préféraient la cafétéria.

On a décidé de reprendre la lecture, mais d'un livre moins intimidant. Nous avons évité les histoires de vampires à la mode et nous nous sommes mises d'accord pour Jane Austen et le délicieusement romantique *Orgueil et préjugés*.

La lecture était plus difficile et les efforts de concentration nous obligeaient à ne plus penser à rien. Ce n'était pas une mauvaise idée, mais c'était épuisant.

Anaïs a bâillé la première et nous avons déclaré forfait, il était temps de nous coucher et d'essayer de nous remettre de toutes nos émotions. Dans mon cas, c'était difficile, car trop d'éléments hantaient mon esprit.

Je pensais à Alexandre qui allait vivre en Angleterre. Notre amour pourrait-il résister ? Hier soir, je convainquais mes amies qu'un amour à distance était inutile. Le mien tiendrait-il le coup ?

La disparition du livre aussi m'empêchait de dormir. Comment pouvait-il avoir disparu ?

J'ai fini par m'endormir, mais les rêves étaient à la hauteur de mes aventures. La nuit fut agitée et le matin est arrivé beaucoup trop vite.

Ce qui fait que je me suis levée en retard, mais cette fois, les filles m'ont aidée à garder mon intimité. On discutait joyeusement, pendant qu'elles tendaient des serviettes de façon ingénieuse. J'ai enfin pu vivre au rythme des autres en toute confiance.

La salle de bains ressemblait à une ruche d'abeilles. Les filles couraient, se lavaient, se séchaient les cheveux, elles se bousculaient et se maquillaient, tout en même temps, ou presque. Elles s'entraidaient dans un bel élan de solidarité.

Derrière mon rideau de serviettes, je les observais et je les appréciais, ces quelques moments resteraient gravés dans ma mémoire longtemps.

La journée s'est déroulée calmement. Nous nous sommes promenées dans les rues toutes les trois, comme des amies inséparables. Nous avons mangé à la terrasse d'une pizzéria et les problèmes semblaient déjà loin.

Je réussissais à ne pas parler de mes inquiétudes au sujet d'Alexandre. Je ne voulais pas que ma peine gâche les derniers jours de notre séjour.

Anaïs a demandé si nous ne devrions pas détruire le journal de Fabrice. Elle a expliqué que nous serions responsables si nous le laissions faire du mal à d'autres étudiants. Elle a insisté sur le fait qu'il était trop accessible à la bibliothèque.

Sur la terrasse ensoleillée, l'idée que le livre soit ensorcelé me semblait vraiment ridicule tout à coup. Charlotte partageait mon avis, elle a affirmé qu'elle ne pouvait pas croire une seconde qu'un livre puisse être magique.

Anaïs a donc proposé que nous retournions le chercher et en terminions la lecture. Elle y tenait beaucoup et Charlotte a fini par dire que ce n'était pas une si mauvaise idée.

J'ai dû leur avouer la vérité. Le livre n'était plus à sa place.

Une fois le choc passé, les filles m'ont dit que j'avais sûrement mal regardé, qu'un livre ne pouvait pas s'évaporer dans les airs. J'ai eu beau leur répéter que j'avais fouillé partout, elles ne voulaient pas me croire.

Retour au collège d'un pas décidé. Les filles voulaient en avoir le cœur net. Direction la bibliothèque et l'allée sur l'histoire de Salem. Nous avons vidé la tablette, les livres traînaient à nos pieds. Nous avons regardé dessus, dessous et de chaque côté, mes amies ont bien dû admettre que le livre ne s'y trouvait plus. Elles ont commencé à dire que je l'avais peut-être rangé ailleurs.

— Bon, ça suffit… Je vous dis que je l'ai mis ici et il n'y est plus, un point c'est tout. On va pas y passer la journée quand même.

— Mais Savannah, c'est pas possible! a soupiré Anaïs, inquiète.

— Eh bien, il semble que les livres disparaissent dans des déchirures extratemporelles. La preuve est faite.

— Quelqu'un d'autre l'a trouvé, a affirmé Charlotte.

— Ben oui, c'est sûr… Il a quand même pas pris la fuite tout seul…

— Mais qui?

— J'en sais rien, Anaïs… Fabrice, peut-être. Donc, on oublie ça.

— On reviendra voir demain.

— Charlotte, tu es en charge de venir tous les jours si tu le souhaites. Moi, je dis qu'on devrait juste oublier le livre et passer à autre chose. Tout a commencé dans l'autobus avec Ramon qui nous a donné nos colliers. Il a semé une sorte d'impression étrange. Nous avions le sentiment d'être investies d'une mission, ou d'un truc spécial et on s'est laissé prendre par la magie. Elle est partout ici… Surtout à Salem. Et nous, trop contentes de nous inventer des scénarios, on a foncé tête baissée dans l'imaginaire.

— On n'a pas inventé ce livre quand même? On l'a lu, on n'a pas rêvé. Et c'est toi qui es retournée à Salem avec Alex, pas nous. C'est toi qui vis dans un film.

— Oui, Charlotte a raison. Si quelqu'un s'invente des histoires ici, c'est toi!

Elles avaient peut-être raison. Je ne savais plus, je ne comprenais plus rien de toute façon.

J'ai repensé à Raven… Sur le coup, je n'avais pas compris, mais en y repensant, il avait dit quelque chose comme: Attention, ta curiosité pourrait te faire glisser vers une imagination débridée.

Je devais me recentrer sur moi-même. Me retrouver en m'ancrant sérieusement dans la réalité. Le livre avait disparu, il n'y avait pas de mystère, seulement une bonne raison que je ne saisissais pas encore… pour l'instant.

Chapitre 30

Je suis partie seule de mon côté. J'avais envie de m'isoler un peu. Je marchais depuis une quinzaine de minutes quand j'ai voulu sortir une bouteille d'eau de mon sac. J'ai aperçu la carte d'affaires de Raven. J'ai regardé l'adresse de sa librairie et j'ai décidé de m'y rendre. Selon mon GPS, j'étais à quelques coins de rue et j'avais très envie de voir où travaillait ce charmant monsieur.

Camouflée par des arbres en fleurs se trouvait une petite porte bleu nuit. Une affiche en bois, cachée par les feuilles, indiquait le nom du lieu : *Books and curiosity. Livres et curiosité...* C'était là. Le mot «*Open*» (Ouvert) était joliment calligraphié à la main sur une petite planche qui pendait à la poignée.

J'ai ouvert la porte sur un monde incroyable et fabuleux. Il y avait des livres et partout des symboles, des bougies, des gargouilles plus dramatiques les unes que les autres, des fioles et des dragons. On aurait dit un temple sacré directement tiré d'un film de sorcellerie.

Un immense pentacle était dessiné au sol et le plafond bleu marine était peint d'étoiles représentant la voûte céleste. Un endroit parfait pour se faire des scénarios et voyager dans son imagination.

Je faisais attention de ne rien toucher.

Une clochette avait annoncé mon entrée et j'attendais de savoir si Raven était présent. J'avais l'impression qu'il m'écouterait et me comprendrait.

Il est entré, un peu trop grand pour la petite porte qui menait à l'arrière-boutique. Il a souri en me voyant. Tranquille, calme, il m'apportait déjà la sérénité dont j'avais besoin.

— J'espère que je ne vous dérange pas, je passais près d'ici et j'ai voulu voir votre boutique.

— Viens t'asseoir. Je me faisais du thé, tu en veux?

J'ai répondu oui de la tête et je lui ai souri pour le remercier de cet accueil simple et chaleureux. Il est allé vers l'arrière-boutique parler à quelqu'un dans une langue étrangère et est revenu avec une théière et deux grandes tasses.

— Tu as des questions à me poser?

— Oui et non. En fait, j'ai trop de questions, je n'arrive plus à me souvenir d'une en particulier.

— (*Il m'a souri.*) Alors parlons de ce que tu veux. Tu sais pourquoi Ramon t'a donné ce bijou?

C'est qu'il sentait couler en toi une goutte de la déesse Isis.

— Ah bon, une déesse, sérieusement? On dirait que vous savez des choses que j'ignore. (*J'étais un peu moqueuse.*)

— Je sais des choses que tu ne sais pas, mais tu en as aussi à m'apprendre.

— Vous connaissez un certain Fabrice?

— Fab... quoi? Non, ça ne me dit rien.

— Vous savez... Je suis tellement influencée par tout ce qu'il y a autour de moi depuis que je suis dans cette ville, les sorcières, Salem et tout ça, que vous pourriez me faire prendre des collines pour des moutons et des étoiles pour des yeux de géants.

Il a ri franchement.

Je lui ai tout raconté au sujet d'Alexandre, de mes inquiétudes et de son départ possible pour l'Angleterre.

— L'amour, Savannah, c'est la plus puissante des magies. Il n'est pas facile à contrôler et frappe parfois très fort. Mais c'est la plus belle chose qui soit. Tu as fait le bon choix. Le laisser vivre ce qu'il désire est la meilleure preuve d'amour.

— Mais ce n'est pas facile. J'ai envie de le retenir, tandis que je sais que je ne dois pas le faire. Merci de m'avoir écoutée, ça m'a fait du bien de parler.

—Je vais te révéler un secret. Ce que je considère comme la plus grande formule magique de tous les temps.

—Je vous préviens, je pense que malgré tout ce que je viens de vivre, je reste fortement sceptique.

—Ça me va... Voilà, tu essaieras ma magie et tu m'en donneras des nouvelles... Savannah, mon secret, c'est: le sourire.

—Le sourire? (*Je me suis mise à rire.*)

—Il ouvre les portes les mieux fermées, il perce les cœurs les plus durs, il apporte la paix et ses bienfaits sont incalculables.

—C'est drôle, j'y pensais justement ce matin... Le sourire! :)

—Comme le tien est ravissant, surtout n'hésite jamais à t'en servir. Voilà... Tu es maintenant initiée à la magie. (*Il souriait et avait les yeux vraiment très brillants.*)

Nous avons parlé de ma famille, de mes amis et il m'a écoutée avec beaucoup de gentillesse. Nous n'avons plus abordé le sujet de la magie, ni évoqué ce que j'avais vécu dans la forêt. Tout était derrière moi. J'étais contente de discuter avec un adulte qui échangeait avec moi comme si j'étais son égale et non pas une enfant tourmentée.

Quelque chose changeait en moi. Je me sentais plus calme, moins impatiente. La petite Savannah faisait place à la grande et c'était un procédé de transformation que je ne pouvais pas arrêter. D'ailleurs, je ne le voulais pas.

J'ai quitté la librairie en paix. D'avoir parlé à quelqu'un m'avait rassurée. Tout reprenait une perspective normale, et les fantômes et autres bizarreries disparaissaient tranquillement de mes pensées.

Le sourire n'est certainement pas une formule magique, mais je comprenais ce que Raven voulait dire. Il resterait une arme secrète que j'allais apprendre à utiliser pour semer de la joie autour de moi. C'était mon abracadabra personnel. ;)

Il paraît qu'il existe des maladies liées à certaines villes. Par exemple, le syndrome de Jérusalem, où certaines personnes deviennent complètement mystiques en découvrant l'endroit pour la première fois. Les hôpitaux en accueillent de trente à quarante chaque année. Elles ont des chaleurs, des palpitations et sont égarées. On parle du syndrome de Stendhal lorsqu'un touriste capote d'émotion devant la beauté des œuvres d'art.

Je suis retournée au collège en me demandant si nous n'avions pas été victimes d'une de ces maladies. J'exagérais un peu, mais je m'amusais à croire que nous avions légèrement perdu la boule.

Je m'imaginais quoi? Qu'un sorcier, même aussi gentil que Raven, pouvait connaître mon avenir? Ramon, dans l'autobus, avait pourtant répondu le plus simplement du monde à cette question... *Que sera sera...*

Vendredi

Chapitre 31

Identification visuelle :	***Chambre très calme***
Identification auditive :	***Je suis seule ! Ah ? :)***

Nous avions été voir un spectacle magnifique la veille, *Tristan et Iseult*. Une belle histoire très ancienne qui a traversé le temps, car elle sera toujours vraie. C'est un grand amour tragique compliqué par l'intervention d'une potion magique.

Ah ah... L'occasion idéale pour rappeler à Anaïs que l'amour doit être naturel, on ne peut pas obliger une personne à nous aimer. Rien ne la retiendra de force, même pas la magie.

Elle a reconnu que son idée de tenir Charlotte à distance avec sa potion était infantile ettttt inutile. On s'est mises à discuter de la pièce de théâtre. Et si une potion faisant tomber éperdument amoureux qui on veut existait vraiment ?

Moi, je ne pourrais jamais vivre avec un homme amoureux artificiellement. Je capoterais de pas connaître ses vrais sentiments. Charlotte était de mon avis, elle affirmait que la personne prête à tout par amour était bien pathétique, ce qui a vexé Anaïs.

—Je ne parle pas de toi, Anaïs. Tu as juste été un peu naïve… mettons.

—Je ne suis pas pathétique… Je suis… eh bien… pas ça en tout cas.

—Mais non, ne t'en fais pas. Tu as seulement hâte qu'un homme s'intéresse à toi et ça va arriver bientôt. (*Je voulais l'encourager.*)

—J'aimerais bien te voir à ma place. Deux ans que j'ai pas de *chum* et le dernier, ce supposé grand amour, a duré un beau gros trois semaines… Toi, tu as Alexandre et Charlotte, elle a… euh…

—Moi? J'ai personne. Mon dernier *chum*, c'était il y a huit mois et prière de ne pas me rappeler son nom. J'aimerais fortement l'oublier, merci.

Nous sommes tombées d'accord sur le fait qu'on préférait un homme ordinaire qui nous aime vraiment, plutôt qu'un super pétard ensorcelé.

Je repensais à la soirée d'hier en traînant un peu au lit. Les douches ne me faisaient plus peur, toutes les filles respectaient ma pudeur.

C'était la dernière journée de cours. Le soir même, nous aurions une fête pour célébrer la fin du stage.

Honnêtement, mon anglais s'était beaucoup amélioré et sans effort en plus. L'aventure tirait à sa fin, je regretterais notre chambre, la cafétéria aux petits déjeuners tellement infects que c'était devenu une source de moqueries sans fin. Nous riions de tout, des toasts molles, du café qui goûtait tout sauf ce qu'il aurait dû, et la confiture avait fait l'objet de nos blagues les plus horribles. :s

J'avais hâte de revoir Alexandre, mais je ne voulais pas rater les dernières heures de ce voyage qui resterait dans nos mémoires longtemps. J'ai même dit aux filles : « Quand on sera vieilles, on se bercera sur la galerie en se rappelant ce voyage et je suis certaine qu'on en rira encore. »

Alors, dernier cours égale évaluation ! C'est ce que je pensais, j'avais vraiment beaucoup appris et je pouvais même considérer que j'étais bilingue. Joie !

L'après-midi, nous sommes allées au musée des beaux-arts. Je croyais m'ennuyer, mais de voir de mes yeux des artefacts, des objets fabriqués par l'homme il y a des centaines d'années, même des milliers dans certains cas, m'a tout simplement coupé le souffle. Merci, Alex, de m'avoir ouvert l'esprit à de si belles choses.

Les sarcophages égyptiens m'ont troublée. Il y avait encore quelqu'un là-dedans ? Non, oufff…

À une époque lointaine, les gens se faisaient momifier après leur mort. Ils s'imaginaient trouver la vie éternelle. Impressionnant !

L'Égypte était une civilisation tellement avancée qu'elle a influencé ce que nous sommes aujourd'hui. Ses pyramides tiennent encore le coup après plus de quatre mille ans et personne ne sait comment on a pu les construire en si peu de temps. Nous n'y arriverions pas, même avec nos machines modernes.

Le buste du pharaon Toutankhamon nous a fascinées. Il avait notre âge quand il a régné sur l'Égypte il y a plus de trois mille ans. Il est mort à dix-neuf ans, des suites d'un accident. Le voir ainsi, devant nous, c'était touchant. Il était magnifique, nous l'aurions même trouvé séduisant. Anaïs a ajouté qu'elle n'était définitivement pas née à la bonne époque. :D

Je me suis arrêtée devant la toute petite statue d'une femme bleue, pas plus grande qu'une main. C'était la déesse Isis, celle dont m'avaient parlé Raven et Alexandre. J'ai souri en imaginant qu'une goutte de cette déesse pourrait circuler en moi. :D

Trop drôle, je me sens tout ce qu'il y a de plus normale, je vous rassure.

Nous sommes rentrées nous reposer un peu, la soirée serait longue et on voulait être en forme pour cette soirée d'adieux.

La réception se ferait au café du collège, en partie dans les jardins, car la journée était magnifique et la soirée s'annonçait sublime. Le thème était, bien entendu, Boston et son histoire. J'adore les fêtes costumées!!!

Charlotte s'est trouvé ce qu'il fallait pour ressembler aux premières femmes de la colonie. Il lui manquait un bonnet, mais après quelques minutes de recherche, elle a eu l'idée géniale de se mettre une culotte blanche, garnie de dentelle, sur la tête. Très réussi!

Anaïs s'est carrément transformée en sorcière et moi, j'ai décidé de me prendre une fois, une seule, je promets… pour la déesse Isis.

Comme Charlotte est une couturière extraordinaire, elle nous a aidées à fabriquer (patenter? ;)) nos costumes. Il n'y avait que mon œil qui n'allait pas. Une Chilienne avait un produit spécial pour cacher une tache de vin qui lui déplaisait, elle m'en a donné un peu et tout a disparu sous une couche de fond de teint épais.

J'avais un maquillage égyptien, un long trait noir sur les paupières, les sourcils marqués… Mes cheveux libres tombaient sur mes épaules et une petite couronne de fleurs les retenait. Encore là, Charlotte avait fait des merveilles avec du papier mouchoir. Elle avait d'abord tressé des fils de laine et, ensuite, elle avait fabriqué de minuscules fleurs blanches en papier, puis les avait piquées dessus. Une robe, comme un nuage blanc, flottait autour de moi et j'avoue que mon image m'a beaucoup plu. Un collier de perles bleues et j'étais Isis.

Il était déjà tard et je me suis rendu compte que la bibliothèque allait bientôt fermer. Je devais retourner les livres que j'avais empruntés et, comme on avait été prévenus qu'elle serait fermée pour la fin de semaine, je devais y aller tout de suite.

Je suis partie à la course, toujours en Isis. J'ai remis mes livres à une responsable étonnée de me voir dans mon déguisement. Je lui ai expliqué pourquoi j'avais choisi ce personnage et elle a trouvé que j'avais eu une idée originale et m'a même félicitée.

Je marchais vers la sortie quand j'ai entendu éternuer, je me suis retournée par réflexe et j'ai aperçu un jeune homme qui lisait tranquillement sous la fenêtre. Son livre a tout de suite retenu mon attention : c'était celui que nous cherchions, le journal de Fabrice.

Je me suis approchée tranquillement, pour ne pas lui faire peur. Il ne pouvait pas être Fabrice, visiblement il était trop jeune, il avait vingt-quatre ou vingt-cinq ans, alors que le jeune Français en aurait plus de trente. Il n'était pas très grand ; mince et élégant, il dégageait une grande douceur.

Il a levé les yeux pour me regarder quand je me suis assise devant lui. Je lui ai fait un beau sourire amical (abracadabra) auquel il a répondu gentiment.

Je me suis présentée, je lui ai dit ce que je faisais au collège et j'ai aussi expliqué pourquoi j'étais costumée.

Il s'appelait Tim et était un étudiant régulier. Il revenait de vacances et préparait un cours d'été. Je lui ai demandé ce qu'il lisait et il tentait clairement de me cacher le livre.

Je lui ai avoué que je connaissais Fabrice, car j'avais lu le livre moi aussi.

— Tu as lu le livre?

— Oui, avec mes amies nous le lisions, mais après l'avoir remis sur la tablette, il y a quelques jours, on ne le retrouvait plus.

— (*Il a ri.*) C'est moi qui l'ai caché là.

— Tu es Fabrice?

— Noonnnn. Je vais t'expliquer. Bon... (*Il a soupiré.*)

Il m'a raconté que son *roommate,* Max, avait écrit le livre pour son cours de littérature. Il avait fait une enquête approfondie sur le harcèlement scolaire et avait voulu faire un lien entre l'histoire des sorcières de Salem et ce phénomène de rejet qui se produit souvent à l'adolescence.

— Donc, Fabrice n'existe pas? (*J'étais éton-née et un peu déçue, je l'avoue.*)

— Non, pas vraiment.

J'ai voulu savoir pourquoi il avait caché le livre et il m'a expliqué que son ami n'était pas au courant qu'il le lui avait emprunté. C'était le dernier jour des cours, Max repartait chez lui, à Phoenix, et s'était arrêté à la bibliothèque pour dire au revoir à ses amis. Tim avait profité d'un moment d'inattention pour lui prendre le document dans son sac et le cacher où il pouvait… c'est-à-dire sur la tablette la plus proche.

J'essayais de comprendre. Pourquoi avait-il voulu voler ou emprunter, peu importe, le travail de littérature de son copain ?

— Parce qu'il parle de moi… Enfin, pas exactement, parce que je ne suis pas Fabrice, mais je lui ai inspiré le personnage de son travail.

— Donc, tu es un peu Fabrice, d'une certaine façon, c'est ce que tu veux dire ? Tu es Français ?

— Non, je ne sais pas pourquoi il en a fait un Français, surtout qu'il le fait parler anglais.

Oh, qu'on a été bêtes… Quand j'allais raconter ça aux filles ! Jamais nous ne nous sommes demandé pourquoi un Français écrivait son journal en anglais… dûh ?!?

— Il ne voulait pas me laisser le lire. Mais moi, j'étais inquiet, je voulais savoir s'il respectait mon anonymat.

— Je comprends.

—Il a choisi un procédé d'écriture très intéressant. L'idée d'un journal des ombres est fascinante, non?

—Oui, en effet... C'est très intrigant. On se demande si Fabrice n'est pas tombé dans une secte finalement.

—Non, il ne tombe dans rien au bout du compte, même s'il essaie toutes sortes de choses... Et moi non plus d'ailleurs. Mon secondaire a été horrible, mais quand mes parents ont déménagé ici, les choses se sont arrangées. Je suis encore un peu timide, mais pas malheureux. J'ai de bons amis.

—Pourquoi a-t-il choisi la date de 1998, si c'était ton histoire?

—Aucune idée, je suppose qu'il voulait assurer mon anonymat.

—Je vois. C'est bien pensé.

Je n'ai pas osé lui dire qu'on avait cherché à trouver le fameux Fabrice et que Jobs avait même pris des risques énormes.

—Il a fait un important travail de recherche sur la magie d'aujourd'hui, l'histoire de Salem et l'intimidation.

—Je dois avouer que je suis très contente de connaître la fin de l'histoire.

—Je vais lui remettre son travail à son retour en août. Je suis rassuré maintenant, mais il aurait dû me le montrer, je ne sais pas pourquoi il faisait tant de mystères.

—Il attendait peut-être de l'avoir complètement terminé.

—C'est ce qu'il a dit. Il l'a pourtant remis au professeur, mais on dirait qu'il veut aller encore plus loin. Il y a des pages non remplies à la fin.

—Je suis vraiment heureuse de t'avoir rencontré.

—Moi aussi.

—Si je te donne mon adresse de courriel, tu crois que nous pourrions échanger de temps en temps? Je cherche quelqu'un avec qui mettre mon anglais en pratique.

Il a accepté immédiatement. D'une certaine façon, je venais de rencontrer Fabrice et je voulais garder contact.

Je suis allée rejoindre les filles au café où le *party* venait de commencer. Elles s'impatientaient un peu et j'ai choisi de garder le secret de ma rencontre en me disant que je leur raconterais tout dans l'autobus, nous aurions alors le temps de discuter tranquillement.

En attendant… danse!!!

Chapitre 32

J'adore les bals costumés, je l'ai déjà dit? Eh bien, je le répète.:) Les sorcières croisaient les pères fondateurs. Il y avait au moins trois John Adams et deux Tituba. Nous avons eu droit à un superbe buffet… de la cafétéria, ce qui nous a beaucoup fait rire. Nous ne serions pas épargnées par la mauvaise bouffe ce soir-là.

C'était l'occasion d'échanger nos adresses Facebook et de courriel avec nos amies de Suède et du Chili. Malgré l'esprit festif, il y avait un peu de tristesse dans l'air. Nous aurions voulu plus de temps pour mieux nous connaître.

Anaïs avait la larme à l'œil, elle qui nous assurait dans l'autobus qu'elle n'était jamais triste, eh bien, je ne l'avais jamais vue autant pleurer.

Stefano m'a invitée à danser à plusieurs reprises et il se faisait parfois un rien trop collant… En fait, j'ai dû lui demander de me serrer moins fort, il m'étouffait carrément. Il voulait qu'on reste en contact, je n'avais pas vraiment envie de continuer cette relation. Quand je lui ai dit que je n'étais pas libre, il a répondu langoureusement que ma relation ne durerait pas toujours et qu'il serait là pour moi, le jour où je serais seule. Vraiment? Il le croyait? J'ai pris son adresse en Italie, si ça pouvait le calmer...

Après quelques danses, je suis sortie prendre l'air et me servir du super bon punch, fait par un des professeurs, ahhhhh! délicieux... Anaïs s'est approchée et m'a murmuré en me montrant un bout de papier plié:

— Regarde, Stefano m'a donné son adresse courriel. Il veut qu'on reste en contact. Il n'y a rien de mal à ce qu'il soit mon ami, quand même, non? On n'a qu'à rien dire à Charlotte.

Si Anaïs était heureuse, pourquoi lui gâcher son plaisir? Ils s'échangeront quelques messages et après elle l'oubliera.

J'étais un peu déçue que le livre ne soit pas un vrai journal mais, en même temps, j'étais super contente d'avoir discuté avec le vrai Fabrice, même s'il s'appelait Tim.

J'avais adoré ce séjour à Boston. La ville jeune et dynamique, les musées, les rues animées, les gens de partout qui se sourient simplement, tout m'avait plu.

J'avais aussi aimé Salem et ses mystères. Je n'étais pas prête à me lancer dans la magie, mais ces gens-là avaient tout mon respect.

Raven était un homme merveilleux et heureusement qu'il avait croisé ma route. Je me demande encore ce qui serait arrivé s'il n'avait pas été dans la forêt ce soir-là.

Il était temps de faire le point. Bon, disons… que mon imagination m'a joué des tours. Supposons que Monsieur Mystère n'était pas vraiment sur le quai? Non, je me souviens trop bien de lui… Il y était… Mais bon, s'il était avec un nouveau confrère et que c'était un véritable hasard, comme il en arrive parfois dans la vie?

Ma petite voix intérieure m'a lancé: Et le vol? Et la vidéo effacée?

OK, les Russes sont parties ce jour-là, elles cherchaient peut-être quelque chose dans notre chambre… Elles étaient en colère et voulaient se venger? Et la vidéo… Eh bien… Elles sont peut-être des super Jobs, elles ont peut-être des connaissances en informatique! Beaucoup trop de «peut-être» ici.

Je voulais me rassurer, mais cette partie de mon scénario ne fonctionnait pas du tout. Les Russes n'auraient jamais saccagé notre chambre et, franchement, c'étaient pas des espionnes quand même!!! Wooooo.

Vraiment, mon imagination était incontrôlable par moments.

Chapitre 33

Les groupes partaient les uns après les autres et nous faisions nos adieux avec émotion. Nous remplissions nos valises et, à tout moment, on nous appelait pour nous annoncer le départ d'un nouveau groupe.

Samedi soir, pas question de manger à la cafétéria. Nous sommes allées dans le vieux port pour nous gaver de *clams* et de homards. Ensuite, nous avons fait le tour des boutiques et nous avons pris des photos dans une machine. Un beau souvenir de nous trois faisant des grimaces.

C'était dimanche, nous prenions l'autobus qui nous ramenait à nos vies. Stefano était venu nous dire au revoir et il nous a envoyé la main jusqu'à ce qu'il ne soit plus qu'un moustique à l'horizon.

Il était temps que je raconte aux filles ma rencontre avec Tim.

Elles ne pouvaient pas croire que je leur avais caché ce moment important. Elles auraient tellement voulu aller le saluer elles aussi.

C'est vrai que j'aurais pu leur en parler plus tôt. J'avais été un peu égoïste, je souhaitais que cette rencontre m'appartienne. Je ne leur ai pas dit non plus qu'il m'avait donné ses coordonnées. Pourquoi ? Parce que c'était mon secret à moi.

Au premier arrêt, Anaïs est descendue chercher du ravitaillement pour le voyage. Bonbons, chips, biscuits et autres calories vides, mais délicieuses.

Charlotte en a profité pour me montrer son cellulaire et toutes les adresses que Stefano lui avait données pour rester en contact.

— Il a envie de garder contact, c'est pas un problème, hein ? On n'est plus en voyage de toute façon. Alors, j'ai accepté de lui écrire. Tu es d'accord... Maintenant, notre entente ne tient plus ? Et puis, c'est pas nécessaire de le dire à Anaïs, ce qu'elle ne sait pas ne lui fait pas mal.

Je riais intérieurement. Stefano avait réussi finalement. Il les avait toutes les deux. Même moi, j'avais ses coordonnées, il était vraiment très habile, ce don Juan.

Quand Anaïs est revenue, les bras chargés de ses trouvailles, nous avons parlé de nos projets. Anaïs nous a dit qu'elle allait dans Charlevoix, au bord du fleuve, pour suivre un cours de théâtre.

Charlotte était tout étonnée et lui a demandé si c'était près de Saint-Joseph-de-la-Rive. Anaïs ne se souvenait plus du lieu exact, mais c'était près du Saint-Laurent.

— C'est un ami de ma belle-mère qui donne le cours. Un gars génial. Tu es méga chanceuse.

— Tu penses? Je crois plutôt que ma mère a trouvé un moyen de m'occuper. C'est juste trop une façon de se débarrasser de moi.

— Non, tu vas voir, ce cours-là est fantastique. Je rêve d'y aller. Je vais essayer de convaincre mon père… Et toi, Savannah, tu fais quoi après?

— Je travaille. Le café m'attend.

Arrivée à Montréal, la première chose que j'ai aperçue, c'est Alexandre avec son bouquet de fleurs. Mon cœur a fondu d'un coup et, en trois pas, nous étions dans les bras l'un de l'autre. Il m'avait envoyé des messages presque toutes les heures, mais rien n'égale une paire de bras qui nous serrent, juste assez fort…

Il a pris ma valise pendant que je disais au revoir aux filles et je l'ai rejoint dans la voiture. On a laissé mes bagages chez moi et Alexandre m'a emmenée chez ses grands-parents rencontrer sa petite sœur Élisabeth. J'étais épuisée par la route, mais comme il repartait le lendemain, c'était la seule occasion que nous aurions de faire connaissance. Elle était impatiente de me connaître et moi, très intimidée.

En route, j'ai demandé à Alexandre de tout m'expliquer sur la maladie de sa sœur. Élisabeth avait une malformation des reins qui l'obligeait à suivre des traitements plusieurs fois par semaine. Elle attendait une transplantation qui viendrait le jour où il y aurait un donneur. Pour l'instant, la seule personne compatible était leur grand-mère qui, malheureusement, n'avait plus la santé pour subir cette opération.

La rencontre s'est super bien passée. Élisabeth avait les yeux bleus intenses de son frère et des cils noirs qui lui donnaient un regard d'une profondeur vertigineuse. Elle était grande, mais frêle. Elle riait beaucoup et j'ai adoré son humour. Je lui ai promis de retourner la voir, même quand... son frère serait à Oxford????? Quoi? Pardon? Restons calmes... Il ne m'avait pas encore annoncé la grande nouvelle. Il était accepté à l'université de ses rêves! OK, sourions.

Il attendait le bon moment pour m'en parler. Encore une fois, je ne devais pas montrer ma tristesse, mais plutôt le rassurer.

Élisabeth m'a dit qu'on se tiendrait compagnie et qu'on pourrait parler de lui ensemble. J'ai levé le pouce pour dire génial, mais ma bouche n'arrivait pas à parler.

J'avais juste envie de crier : Ne pars pas !

Chapitre 34

J'étais au café Frimousse et j'avais l'âme en berne. Je savais qu'Alexandre partait en fin de journée, mais je devais travailler. De toute façon, il avait dix choses à régler avant son départ et nous avions rendez-vous plus tard.

J'essuyais un verre depuis trop longtemps sans doute, car Lydia m'a demandé ce que j'avais à être autant dans la lune. Elle croyait que je pensais à quelqu'un rencontré à Boston, alors je lui ai parlé du départ d'Alexandre.

Elle m'a raconté en riant que son ex était parti en France et avait tellement changé qu'elle ne le reconnaissait plus après quelques semaines. Dès qu'elle a eu fini, elle regrettait déjà de m'avoir parlé de son histoire. Elle m'a assuré qu'Alexandre ne changerait pas, qu'en fait, son ex n'était peut-être pas un bon exemple à donner. Elle patinait vite devant mon air défait. Elle voulait m'encourager, mais je savais bien qu'elle avait raison. Un amour à distance, c'était très risqué.

Je lui ai demandé ce qu'elle allait faire maintenant que j'étais de retour. Elle s'était inscrite à un cours de théâtre dans Charlevoix avec Rafi, mais comme Milan ne supportait pas l'idée qu'elle passe deux semaines avec son cousin, elle préférait laisser tomber le cours, mais comme, en plus, elle n'avait plus de travail ici... elle était découragée, car ses finances piétinaient dans le rouge.

Bien entendu que Milan était jaloux, Rafi était son principal rival! Je ne pensais pas qu'elle avait vraiment fait exprès, mais l'idée n'était peut-être pas celle du siècle.

Je manquais d'enthousiasme. Moi qui adorais faire mousser le lait et créer des dessins de plus en plus complexes dessus, je n'avais plus de motivation.

Nous étions toutes les deux en train de ranger les tasses et les verres quand l'idée m'est apparue... Encore un grand coup de tonnerre dans ma tête, bang!

Pourquoi je n'irais pas à sa place dans Charlevoix? C'était certainement le même cours qu'Anaïs devait suivre et ça ne pourrait que me changer les idées. J'avais besoin de ne plus penser à Alexandre toute la journée, sinon j'allais devenir folle. Aussi bien en profiter pour apprendre quelque chose! Et vivre sur le bord du fleuve, c'était certainement magnifique.

Lydia croyait que je faisais ça pour la dépanner, mais je l'ai rassurée, ça nous arrangeait toutes les deux. Elle pourrait continuer à travailler au café pour mettre de l'argent de côté. J'allais lui payer son cours et en profiter pour me refaire un moral d'acier pour affronter le cégep.

J'étais enthousiaste, tout à coup la vaisselle s'est rangée super vite et nous avions retrouvé notre bonne humeur.

La fin de journée est quand même arrivée trop vite. Alexandre est entré avec ses bagages et son sourire enchanteur. Il nous restait quelques heures et j'aurais aimé que nous ayons un peu d'intimité avant son départ. Quelques minutes rien qu'à nous, dans un endroit discret. Il me semblait que c'était pas beaucoup demander.

J'avais envie de l'embrasser, de toucher sa peau et de sentir ses mains sur moi.

Je l'ai entraîné dans le garage derrière chez mon père. Je n'y allais plus souvent depuis l'été précédent. Mais il était toujours décoré et j'étais la seule à avoir la clé.

Nous avons fermé les rideaux et je l'ai poussé sur le divan. Nous riions et nous nous embrassions. Il ne nous restait pas beaucoup de temps, mais même si nous ne pouvions pas nous découvrir l'un l'autre totalement, nous avions quand même la possibilité d'explorer un peu. Non, je ne vous ferai pas de dessin.

Je l'ai forcé à s'étendre sur le divan, il riait doucement. J'ai détaché sa chemise et j'ai senti sa peau sous mes mains. Je désirais garder en mémoire l'odeur de son corps, je voulais le couvrir de baisers, me rappeler la douceur de sa peau.

Très doucement, il nous a fait pivoter et j'étais maintenant couchée à sa place sur le divan. Il m'a embrassée à son tour et son souffle était différent, plus rauque, plus rapide, comme dans la grotte. Il pressait son corps contre le mien et j'aurais voulu que tout s'arrête là : le monde, la vie, la planète, l'univers. Ses mains couraient sous mon chandail et j'avais envie de crier : « Ne pars pas ! »

J'ai tout à coup entendu la *Marche nuptiale*. Rêve ou réalité ? Son cellulaire sonnait, nous rappelant trop la réalité. Alex s'est arrêté, comme s'il devait s'arracher à moi et il s'est assis pour répondre.

Un dernier au revoir à sa sœur.

— Savannah, on doit y aller. Le temps file et…

Là, je voulais dire « Ne pars pas », mais j'ai plutôt dit :

— Tu as raison. Tu vas être en retard sinon.

— Tu sais que c'est horrible de te laisser comme ça.

(Dans ma tête.) *Ne pars pas.*

— Je sais… Pour moi aussi, c'est difficile…

— Je t'aime.

— Moi aussi, je t'aime, Alexandre.

(Dans mon cœur.) *Ne pars pas.*

— Tu vas venir me voir bientôt.

— Compte sur moi.

(Dans mes yeux.) *Ne pars pas.*

On s'est levés, rapides comme des tortues épuisées par le poids de l'émotion. Nous sommes sortis pour attraper un taxi qui est arrivé trop vite.

On a pris la route de l'aéroport. J'en ai profité pour lui dire que j'irais suivre un cours de théâtre pour me changer les idées. Il me tenait la main et la serrait de temps en temps. Sa main me parlait et la mienne lui répondait dans une sorte de code qu'elles seules connaissaient.

Chapitre 35

Nous étions deux âmes en détresse dans l'aéroport. Les gens semblaient joyeux autour de nous, ils partaient en voyage et ils étaient impatients. Nous, nous étions comme deux algues flottant sur une mer tranquille. Nous n'avions pas hâte que le vol soit affiché, ni de traverser la sécurité.

Certains se bousculaient pour être les premiers, nous, nous laissions tout le monde nous dépasser, retardant ainsi de quelques minutes le moment de la séparation.

Alexandre Préfontaine partait vers son avenir, qui était loin de moi. Je devais me montrer courageuse et heureuse pour lui. Il fallait que je croie en nous deux, en cet amour plus puissant que tout. Raven avait dit que c'était une des plus fortes des magies, c'est maintenant qu'elle devait faire ses preuves! Alexandre éteignait son cellulaire. J'en ai profité pour lui prendre la main et j'ai dit:

— Abracabra, que ces deux mains ne se séparent jamais… que ces deux cœurs restent unis, que cet amour vive toujours.

— Ça va, Savannah?

— Je tente le tout pour le tout. On sait jamais, ça pourrait marcher.

— Tu es inquiète? Pour moi? Impossible, je n'aimerai jamais que toi.

Il m'a prise dans ses bras et, après un dernier baiser, il s'est dirigé vers la sécurité. On s'est envoyé la main jusqu'à ce qu'il soit avalé par la foule. J'ai couru à toute vitesse vers le deuxième étage où un petit espace vitré nous permettait de nous voir encore un peu. J'ai sorti mon foulard rouge à l'effigie de la dame à la licorne de mon sac à dos, pour qu'il me voie le plus longtemps possible. Je l'agitais en souriant.

Je l'ai regardé donner son passeport à l'agent et passer la porte d'embarquement. Il marchait vers l'avion qui l'entraînait loin de moi.

J'ai vu un homme tout près de la porte baisser son journal et se lever. C'était lui, c'était notre homme! Qu'est-ce qu'il faisait là et pourquoi s'être caché derrière un journal? La panique s'est emparée de moi. Monsieur Mystère passait la porte à son tour et se dirigeait vers l'avion d'Alex.

J'ai frappé dans la vitre, mais ça ne servait à rien.

Je suis descendue le plus vite possible et j'ai essayé de franchir la sécurité, mais c'était interdit. Je leur ai expliqué que je devais dire un mot à un passager et que c'était extrêmement urgent. Impossible!

J'ai essayé le téléphone et je suis tombée sur sa boîte vocale. Pourquoi avait-il fermé son cell aussi tôt? J'ai laissé un message :

— Alex, attention, l'ex associé de ton père est à bord de l'avion avec toi.

Je n'ai pu que regarder l'appareil s'éloigner sur la piste, emportant non seulement Alexandre, mais aussi notre ennemi. Je n'avais plus aucun doute, cet homme était sur nos traces.

Une longue attente commençait pour moi. Sept heures avant de pouvoir parler à Alexandre et de savoir ce qui s'était passé durant le vol.

Savannah, tome 3
{En péril}
Résumé

Rien ne va plus. Savannah et Alexandre savent qu'ils sont suivis et qu'un mystérieux individu veut leur voler le codex. La vie ne peut s'arrêter pour autant et même si elle est folle d'inquiétude, Savannah part comme prévu suivre un cours de théâtre dans Charlevoix avec ses amies Coralie et Anaïs.

Tout en essayant de suivre son amoureux par cellulaire, elle découvre les secrets du travail de comédien. Pour comprendre la création d'un personnage, elle doit tenter de faire revivre Néfertari reine d'Égypte. Son compagnon de jeu, Rafi, est très convaincant dans son rôle de pharaon et Savannah est troublée par le charme de ce jeune homme très séduisant.

Alexandre ne répond plus. Où est-il et comment faire pour le retrouver?

Savannah reçoit des messages de menaces et s'inquiète pour tous ceux qu'elle aime. Mais dans quoi sont-ils tombés? Qui leur en veut et c'est quoi, ce codex qui semble intéresser des voleurs? Doit-elle prévenir la police? Monsieur Préfontaine? Ses parents? Il est temps de partir enquêter sur la disparition d'Alexandre et de prévenir sa famille!

Savannah est en péril. Le fameux codex serait-il le gardien d'un secret très ancien et convoité par des gens sans scrupules?

À suivre...

IMPRIMÉ AU CANADA